D1296464

Présentée par
Jean-Louis Boudou

LA COURSE
DESTINATION MONDE

Données de catalogage avant publication (Canada)

Vedette principale au titre :
La Course
ISBN 2-89035-207-2

1. Voyages autour du monde - 1981- . 2. Course destination monde (Émission de télévision).

G465.C672 1993 910.4'1 C93-097312-7

Les Éditions Saint-Martin bénéficient de l'aide du Conseil des Arts du Canada pour l'ensemble de son programme d'édition.

Éditeur : Richard Vézina

Éditeur délégué : François Lambert

Conception et réalisation de la page couverture : François Joly

Photos de la page couverture : Patrick Demers, Manuel Foglia,
Sophie Bolduc, Pierre Deslandes

Chargée de projet à l'édition : Diane Mineau

Correction : Catherine Brabant

Infographie : Rive-Sud Typo Service inc.

Dépôt légal : Bibliothèque nationale du Québec, 4e trimestre 1993

Imprimé au Canada

Notre catalogue vous sera expédié sur demande.
Les Éditions Saint-Martin
4316, boul. Saint-Laurent, bureau 300
Montréal (Québec) H2W 1Z3
(514) 845-1695

NOS REMERCIEMENTS

La Société Radio-Canada tient à remercier :

l'Agence canadienne de développement international (ACDI),

Hydro-Québec,

JVC Canada inc.,

Téléfilm Canada,

le Centre de recherches pour le développement international (CRDI),

le Conseil international de l'action sociale (CIAS) et l'Université de Moncton,

le ministère des Communautés culturelles et de l'Immigration du Québec (MCCI),

l'Office national du film du Canada,

AstralTech inc.,

Air France, le Club Aventure

et le journal *La Presse.*

Les concurrents souhaitent exprimer toute leur reconnaissance aux personnes qui les ont accueillis, assistés et qui ont participé à leurs reportages, ainsi qu'aux téléspectateurs du réseau français de Radio-Canada qui leur ont manifesté, avec passion, affection et loyauté.

Claude Morin
Directeur de *La Course Destination Monde*
Société Radio-Canada

À Jocelyne Champagne et Claude Morin, mes deux fidèles complices dans cette aventure qui nous lie à longueur d'année.

À Denis Gathelier qui commence tous les matins à sept heures le montage des films !

À Pierre Lemelin pour sa présence et ses conseils.

À Pierre Therrien qui tente désespérément de m'intéresser au hockey !

À Jean-Pierre Masse et Anne-Claire Poirier pour leur engagement.

À Daniel Picard et Guy Nadon pour leur efficacité.

À Danielle et Élise d'Air France pour leur patience.

À Pierre Mondor qui donne un sacré coup de main à Therrien pour m'initier au hockey !

À la direction de la télévision de Radio-Canada qui nous fait confiance.

Sincèrement merci.

Jean-Louis Boudou
Réalisateur de *La Course Destination Monde*

LA COURSE

DESTINATION MONDE

1992-1993

INTRODUCTION
L'AVENTURE EST UN ÉTAT D'ESPRIT

L'aventure commence à l'aurore.
À l'aurore de chaque matin.
Jacques Brel

D'abord le silence. Et puis, en prêtant l'oreille, les pinsons et les mésanges chantent, le pic-bois cogne en cadence dans son tronc, la rivière coule en bas. Je suis au bout d'un rang, dans ce qu'on appelle le Nord. Au bout du chemin, il n'y a que des forêts et des lacs ; les terres de la reine comme on dit. Dans cet océan vert, où seuls quelques avions en partance pour l'Europe égratignent le ciel de leur traînée blanche, je suis seul, au bout du monde dans mon propre pays !

Il y a plus de 40 ans, Jos Morin avait, ici, défriché, labouré, cultivé quelques arpents d'une terre trop pauvre. Il ne reste aucune trace perceptible de son passage. Chaque année, début septembre, il partait trapper jusqu'à la veille de Noël dans tous ses camps, sorte d'abris précaires, disséminés jusqu'à la rivière Matawin. Tout jeune, j'écoutais à la lumière de la lampe à l'huile ses récits de castors, d'ours, de loutres et de nuits glacées ; je revivais, au creux de mon lit, chacune de ses aventures. Il m'arrive de me demander si la grande aventure n'est pas, précisément, incarnée par ces solitaires obscurs dont nul journaliste ne relate jamais les exploits.
Jos Morin avait bien peu à raconter mais il était bon conteur.
Pour lui, ses expéditions n'avaient rien d'extraordinaires, comme pour nous de traverser la rue chaque matin pour aller prendre l'autobus jusqu'au travail. L'aventure est un état d'esprit ; elle commence au bout de la rue (mon fils Étienne pourrait vous en parler...) mais puisque la terre est ronde, « elle est aussi, comme la mer, toujours recommencée ».

Les huit candidats, qui chaque année font la Course, sont, dans ce sens, bien choyés. Par contre, à la différence du coureur des bois, du marin qui fait escale à tous les ports du monde et du nomade des déserts, ils doivent non seulement voyager mais avant tout témoigner, recréer un fragment de vie à travers des lieux sans constance culturelle, sans lien historique. Ils en perdent parfois le nord! Sophie Bolduc désespérait, en début de Course, de ne plus savoir se situer, d'en perdre ses références, de manquer de perspective... Juste le voyage, juste d'être là, ailleurs, en état d'errance lui suffisait. Face à ce bombardement d'émotions, d'événements qui gravitent, s'attirent et se repoussent autour de leur centre d'attraction, il faut trouver l'équilibre...

La Course roule à un train d'enfer et on ne peut voir, à cette vitesse, que si l'on sait nommer. Voyager est une forme de regard, une façon d'observer. Le candidat cherche une perception; il va, de bout du monde en bout du monde, traquer les histoires, chasser les images, récolter avec des mots la surface romanesque de la vie. Le voyage naît de l'encre, s'écrit au bout de l'objectif et s'y achève: 4 minutes 30 pour l'essence d'une semaine. La caméra vidéo prolonge l'écriture par ses possibilités insoupçonnables. L'aboutissement de la Course, sa raison d'être, est avant tout cet acte hebdomadaire de création, ce film dont il faut accoucher. Blaise Cendrars exprime bien cet état de création plus ou moins heureux, selon les candidats et les semaines: « L'écriture est un incendie qui embrase un grand remue-ménage d'idées et qui fait flamboyer des associations d'images avant de les réduire en braises crépitantes et en cendres retombantes. Mais si la flamme déclenche l'alerte, la spontanéité du feu reste mystérieuse. Écrire c'est brûler vif mais aussi renaître de ses cendres. »

Ce matin, j'ai marché sur le chemin jusqu'à la rivière. Au loin, devant moi, une énorme tache foncée a attiré mon attention. Était-ce un gros caillou ou une large feuille tombée de je ne sais quel arbre? Non, rien de cela. Jamais je n'avais vu chose pareille, jamais je n'aurais pu penser qu'il en existait de si grosse ici! C'était une tortue, d'un pied de long avec une toute petite queue fine.
Elle est restée immobile, la tête haute sortie de sa carapace, fière comme une statue, témoignant davantage par son aspect physique du légendaire monde des dinosaures que de notre XXe. Ces témoignages de la beauté du monde nous crèvent les yeux. Encore faut-il y être attentif. Regardez les enfants, combien ils voient, ressentent et mordent à la vie. Tout voyage est un retour à l'enfance et s'apparente à un retour de la mémoire: il faut réapprendre à parler, à marcher, à saluer, à se repérer, à s'émerveiller.

Voyager, c'est être une sorte d'enfant professionnel, animé de cette curiosité inlassable et fervente. Certains lieux peuvent décevoir. L'important n'est pas là, car les voyageurs sont comme Christophe Colomb qui croyait aller en Inde : qu'importe qu'il n'y soit pas parvenu puisqu'il a découvert l'Amérique !

Sophie, Simon, Patrick, Pierre, Philippe, Manuel, Violaine et Marc, à l'image d'Ulysse, ont fait un beau voyage. Ce qu'ils ont vu, ils ne pourront jamais l'oublier : le souvenir des voix, la lumière du soir, les ciels d'Afrique, la volupté de l'air, les odeurs. Les odeurs n'ont pas leur place à la télévision, encore moins le goût. Curieux de penser que le goût est le plus atavique, le plus réactionnaire, le plus national de nos sens. Comment expliquer ce goût pour la poutine chez les Québécois ou pour le thé salé au beurre chez les Tibétains ? Ce jeu de correspondance, que nous offrent nos sens et dont le mécanisme nous échappe, fait naître une foule d'images et de souvenirs. Parmi tous les témoignages de la beauté du monde, il y a d'abord les hommes et les femmes qui peuplent cette terre. Il faut les aimer fraternellement, il faut aller à leur rencontre. La Course essaie de faire sa part dans ce monde que certains disent en péril.

J'ai arrosé, hier soir, les saint-joseph qui trônent sur le balcon au milieu de la forêt. Quelques taches blanches, rouges et violettes dans un désert de vert... J'aime croire que la Course fait tache, elle aussi, dans cet univers télévisuel qui, dit-on, « homogénéise les goûts et les attitudes ». Les candidats partent avec comme bagage une vingtaine d'années d'éducation nord-américaine, des lectures, des films plein la tête et des idées reçues. Au retour, ils font le compte de ce qui reste et des illusions perdues. Ils ont appris à désapprendre. Leur jeunesse, si ardente et folle, n'a su résister à l'appel de l'inconnu. Ils ont transformé leurs pensées en mots, en images. Ils ont pris l'action en main, se sont affirmés chacun à leur mesure. Ils ont mis leur cœur dans la balance. Et s'ils ont appris une chose dans cette Course, c'est sûrement que le seul fait d'exister est un véritable bonheur ; le seul abri possible, c'est le monde entier. Merci à vous huit.

Jean-Louis Boudou
Saint-Alexis-des-Monts

LA COURSE
AU QUOTIDIEN

Au fil des jours se tisse, entre les candidats et moi, une relation d'amitié parfois houleuse mais toujours franche. On rit beaucoup, on s'engueule, on parle de la Course, de la vie. Chaque année, je n'ai pas le choix, j'en adopte huit nouveaux et peu importent leurs performances à l'émission, ils sont mes partants, mes candidats, mes protégés ; je me sens comme une mère ourse envers ses petits... En cours de route, certains se plaignent que je ne leur dise pas assez souvent combien je les aime et combien j'ai confiance en eux. C'est fou comme nous sommes tous des puits d'amour sans fond qui réclamons sans cesse et de façon si différente notre lot d'affection.

Au fil des jours, des lettres et des fax ont marqué le rythme de la Course. Voici, au quotidien, quelques pages de ces 182 jours d'aventure.

Dure, dure la Course !

Les deux premiers mois n'ont pas été faciles : Manuel arrivait à peine à accoucher de son premier film au bout de trois semaines passées à Delhi, logé et nourri chez la famille Guernon-Pelletier ;
Sophie était sous le choc du voyage, trop heureuse de découvrir sa liberté et oubliant les exigences de l'émission ;
Philippe ne décollait pas autant que prévu ;
Marc y allait de sa poésie et de sa voix rocailleuse qui n'ont pas touché les juges ;
Patrick avait décidé de faire du « cinéma », caché derrière son personnage de Don Quichotte ;
Violaine nous préparait des comptines gentilles ;
Simon aiguisait son humour...
Il n'y avait que Pierre Deslandes qui entamait une Course honnête.

Le jugement est sévère, mais c'est l'état d'esprit qui régnait à notre bureau en ce début de Course. Je n'ai pas mâché mes mots au téléphone et j'en ai bousculé plusieurs. Le public fidèle à l'émission ne s'est pas gêné pour nous dire qu'il préférait les candidats de l'année précédente. C'est vrai que le début a été difficile, moins fulgurant qu'à l'habitude, mais il faut se rappeler que la tâche est lourde pour les nouveaux candidats de faire oublier les anciens. Hier encore, c'étaient leurs héros, voilà qu'aujourd'hui ils les remplacent.

J'ai parlé longuement à chacun d'eux. J'ai aussi demandé à Pierre Lemelin de l'ONF, qui fait partie de la famille de la Course, de leur parler et j'ai envoyé (ce que je n'avais jamais fait avant) des cassettes de l'émission aux quatre coins du monde pour que les coureurs puissent voir et comprendre. Ils ont tous réagi, compris que la Course c'était leur show et que cette émission était à leur image. Faire de la télévision, c'est avoir le goût de communiquer, de partager et je les remercie de leur générosité.

FAX
Niamey, Niger
Dimanche, 1er novembre 1992

Salut, ô toi, chef suprême des magouillons civilisés.

J'ai attendu ton appel vendredi, il n'est jamais venu. Tu es peut-être fâché que j'aie manqué mon avion ; moi je ne saurais en être plus heureux.

Première raison : je trippe sur le Niger.

Deuxième raison : j'ai un ami touareg avec lequel je tourne un film que je n'avais pas eu le temps de tourner.

Troisième raison : j'ai vu des émissions et je comprends tout ce que toi et Pierre Lemelin vous disiez, je comprends même des choses que tu n'avais pas mentionnées. J'ai une mesure de ce que ça donne et des idées pour améliorer. Je comprends l'importance des *teasers*, des présentations et de la lecture du commentaire mieux que jamais. J'ai envie de faire le show !

Quatrième raison : on pourrait essayer de faire venir Simon au Niger avant jeudi, jour de mon départ, pour mettre un peu de piquant dans cette foutue émission.

Dis aux autres qu'il faut qu'on se fasse une place dans l'émission et que ça ne peut être que par les *teasers*, les relâches et les présentations. On essaie trop, on fait pas assez. Si on s'y met, ça va grouiller.

Un Patrick dépogné

La complainte du téléphone
Le règlement de la Course oblige les candidats à appeler à Montréal chaque semaine. Je sens bien que les candidats, eux, voudraient voir un nouvel article au règlement, du style : « Le réalisateur a obligation de répondre à ces coureurs une fois par semaine ! »

J'avoue, j'avoue, parfois, bien rarement tout de même, qu'il m'est arrivé de ne pas répondre aussi rapidement que j'aurais pu, préférant terminer une tâche qui m'attendait... Je m'en excuse !

Impressions de voyages sur le vif
Ces quelques phrases, écrites sur un bout de papier de fortune ou sur le coin d'une table d'un hôtel quelconque, ont la qualité de la perception instantanée, sans le filtre du temps. Ce sont de longs

Mozambique
28 octobre 1992

C'est une drogue ce téléphone-là, on s'habitue, on s'accroche, on appelle toujours le même jour, à la même heure, on a hâte de parler... et puis c'est frustrant d'attendre trois jours avant d'obtenir la communication. Mais je sais bien que nous, dans notre excitante aventure, on est bien exigeants et bien peu sensibles à la vie *so tough* du réalisateur... D'ailleurs, tu sais, si tu as envie de te confier, *shoot* ! Vas-y ! Pas de problèmes, on est là pour ça ! Tu sais, on comprend, on est déjà passés par là ; le quotidien « auto-boulot-auto-dodo »... Je te jure, on se force dur pour mettre du piquant dans ta vie.

Violaine

FAX
Nauhabidou, Mauritanie
29 janvier 1993, 9 h 34

Aubaine. Profitez de cette chance unique de me rappeler cette semaine. Il n'y aura pas d'autre offre. Une seule par client. Téléphonez immédiatement (je quitte dans 30 minutes). Ne ratez pas cette chance. Dieu sait quand viendra la prochaine.

Pierre Deslandes

cris du cœur, dont certains candidats me font cadeau tout au long de leur Course. C'est un bien beau présent que de partager leurs émois.

Bali, Indonésie
Mercredi, 2 septembre 1992

C'est vraiment le chaos Chuuk (île de la Micronésie), mais c'est tellement pur et vrai, tellement juste humain ! Si jamais, un jour, je devais tout foutre en l'air, c'est peut-être ici que je retournerais vivre, dans une cabane, dans la jungle, avec un Chuuke passionné et faire neuf enfants. Juste vivre pour vivre, sans être obligée de *faire* quelque chose pour être quelqu'un !

Sophie

Colombo, Sri Lanka
30 septembre 1992

Vive les Américains ! Ils s'achètent les habits du pays, ne les portent pas comme il faut (au moment approprié) et oublient d'enlever leurs grosses espadrilles qui leur remontent jusqu'aux chevilles ! C'est d'un chic à en avoir honte d'être voisins !

Sophie

Asuncion, Paraguay
Dimanche, 17 janvier 1993

Les sauterelles et les grillons ont fini de m'envahir ! Le Chaco (région nord-est du Paraguay) est un enfer de moustiques mais un paradis d'oiseaux. Je peux parier 1 000 dollars que le Clud Med ne s'établiera jamais à Filadelfia. Non seulement n'y-a-il absolument rien à faire mais les Mennonites ne permettraient pas de telles indécences ! C'est dimanche tous les jours : chemises blanches et pantalons repassés avec la ligne du pli en avant le long de la jambe. Je me suis sentie vulgaire et très osée avec mes pantalons fleuris et mes *t-shirts.* Aucun danger de vol ou de viol ici. J'ai dormi sur mes deux oreilles, l'air climatisée « au bout » pour essayer d'oublier quelques instants que, dehors, il fait entre 35 et 40 °C à longueur de journée.

Sophie

Bogota, Colombie
31 janvier 1993

La Colombie, ça m'a tout d'abord frappé à l'aéroport quand j'ai vu des flics, supposément là pour contrôler le blanchissage des narco-dollars près du bureau de change, échanger eux-mêmes une liasse de billets américains et ensuite rendre de l'argent colombien aux Colombiens qui n'ont pas de passeport. Ensuite, le chauffeur de taxi me met en garde contre les gens qui t'offrent un *drink* et te font les poches pendant que tu roupilles. Arrivé à mon *guest-house*, la même rengaine de la part du proprio... « Attention, Marc, ici, à Bogota, il y a beaucoup de crimes », et patati patata... J'avais le goût de lui dire : « Écoute, le tas, je me suis baladé à Johannesburg la nuit, pendant trois semaines, ça fait que viens pas m'écœuré, O.K. ! » J'ai quand même fait attention. De toute façon, je ne suis presque pas sorti à Bogota ; j'avais un maudit montage à terminer !

Marc

Le Courrier (mots d'amour)

FAX
5 janvier 1993
À : Jean-Louis Boudou
De : Philippe Falardeau

Chéri, notre amour est impossible STOP Je te quitte pour un scientifique bubonique à Morogoro STOP Le cirque est tombé à l'eau STOP Une histoire à dormir sur un trapèze STOP Vais quand même tenter deuxième sujet dans la brousse STOP Hôpital financé par l'ACDI STOP Daniel Pinard n'a qu'à bien se tenir STOP Où en étais-je ? STOP... ? STOP Ah ! oui. Donc reste deux semaines en Tanzanie STOP S.V.P. retarder voyage à Bangui d'une semaine STOP Vais probablement tenter une percée sur la planète Nairobi, par voie terrestre STOP Je mangerais bien un sandwich au jambon STOP Faxer aussi impressions personnelles sur film *Setti Zeinab* STOP Jean-Louis, je peux-tu revenir deux semaines plus tôt pis faire un film sur toi ? STOP Je m'en irai à Montréal STOP Dans un grand Boeing bleu de mer STOP Charlebois STOP Pelletée de becs STOP

Philippe

FAX
5 janvier 1993
À: Philippe Falardeau
De: Jean-Louis Boudou

Chéri, il n'y a pas d'amour impossible STOP Bien reçu ta prose STOP Ça a déteint! STOP Air France se casse la tête pour te trouver correspondance Nairobi-Bangui via Dieu seul le sait STOP Si tu vas prendre un bain de peste, suis le conseil de tes hôtes; insecticide partout! O.K.? STOP *Setti Zeinab*: c'est un film de la Course semaine 15. J'ai aimé l'atmosphère, les images (gros plans mains-bisous), bien ficelé, information minimaliste, c'est bon STOP Pas la peine de t'énerver avec ce que je viens de dire STOP Donnes-y la claque mon «pit» STOP Trève de trivialités STOP Veuillez recevoir, cher monsieur, l'expression de quelques-unes de mes meilleures...

Jean-Louis

Salut Jean-Louis! **23 décembre 1992**

Cette lettre n'est pas pour la Course hebdo, ni pour le livre de l'an prochain mais pour toi, Jean-Louis Boudou le vénusien, je veux dire le terrien, euh, l'être humain (pas le moralisateur, je veux dire le réalisateur).

La Course n'est pas encore finie, même que les prochaines semaines sont cruciales pour tout le monde, je crois. Mais oublions le show.

Tu sais que j'ai beaucoup d'amitié pour toi. T'es un gars qui s'investit à 100% dans ce qu'il fait, t'es assez rigolo, assez con aussi... Mais c'est pas grave, t'es un peu sexy, très sérieux quand c'est le temps, t'es probablement un bon père et peut-être un bon amant (ça te regarde!). Une chose est certaine, c'est que je ne t'oublierai jamais. Christ, Jean-Lou-Lou! J'pense que j't'aime! Joyeux Noël et Bonne Année! (*Too Late*)

Bureaucratiquement vôtre,

Simon Dallaire
Le grand niaiseux

Jean-Louis adoré, **25 décembre 1992**

Je te dis tout de suite, si je t'écris, J.-L. adoré, c'est parce que c'est Noël et non pas, surtout pas, parce que le qualificatif a rapport avec le réalisateur.

Voici un plan de montage de A à Z par Violaine ; y a bien deux siècles que t'as pas vu ça ? Le film entre dans la série « Sauvons les meubles »... Je fais un effort côté mobilier de cuisine cette semaine.

Violaine

Londres
1er janvier 1993

Bonne Année, Jean-Louis !

Je sais, ce film est en retard ! Je sais aussi que tu trouveras encore moyen de le critiquer mais ne t'en fais pas, c'est comme ça que je t'aime. Il s'agit, dans le film que je t'envoie, d'une parodie de mon questionnement perpétuel. J'ai mélangé l'humour et l'amertume, pour vous livrer ma mélancolie. Ce film, je l'ai fait pour toi, j'espère qu'il t'amusera. Je ne comprends toujours pas qui je suis, où je vais et pourquoi les Anglais mangent si mal. De toute façon, l'important c'est de se poser des questions, pas nécessairement d'y répondre.

Tu transmettras mes vœux de bonheur à toute l'équipe. Tu embrasses Étienne doublement et surtout fais attention à ta santé : brosse-toi les dents trois fois par jour et continue d'avoir de mauvaises pensées régulièrement, c'est le secret de la jeunesse !

Marc

Québec
Le jeudi, 22 avril 1993

Cher Boudou mon Jean-Louis,

Pourquoi la dactylo ? Pour voir la réflexion de mon visage dans l'écran de l'ordinateur. Pour me rassurer que je suis toujours là et qu'il existe une vie après la Course.

Oui, il existe une vie après la Course. Chaque semaine, chaque jour, des amis, des connaissances et des inconnus me le rappellent. Il y a ces gens qui choisissent leurs mots, qui me regardent sans détour et qui me rappellent qui j'étais, qui je suis et celui que je deviens. « Philippe, tu m'as fait réfléchir, voyager et rêver. Tu m'as délivré de ma routine. » La routine est un état d'esprit...

Je retourne à l'école. À la grande surprise de plusieurs ! À ma grande surprise peut-être. « Non, monsieur, l'offre est intéressante mais ma décision est prise. Je vous remercie d'avoir pensé à moi. » La routine est un état d'esprit...

Tant d'amour pour avoir osé... pour avoir rêvé. Et ma blonde. Quelle femme ! Elle aussi, elle a fait sa Course. Sans classement, sans honneurs publics. Nous survivons au retour. Mieux encore, nous nous redécouvrons. Une première dans la Course ? La routine est un état d'esprit...

Vingt et un pays, 37 escales, 74 000 kilomètres, la peste, la censure, la foi, le bout du monde. Que reste-t-il ? Des odeurs, des couleurs, des paroles, des visages, mais des yeux surtout. Et des sourires. Le départ était nécessaire, le retour essentiel. Au-delà de l'horizon, le bout du monde est un état d'esprit.

L'amitié d'un moment peut nous sembler éphémère. Mais, vécue intensément, elle n'a rien à envier à la plus longue camaraderie.

De toute ma courte vie, rarement ai-je rencontré quelqu'un qui donnait autant. Par amour du travail, des jeunes et du souci de l'excellence. J'ai reçu beaucoup. J'espère que c'est donnant-donnant.

Merci me semble insuffisant. Mais quand on connaît l'importance des mots, quand on ne les a pas trop usés, merci est ce qu'on a de plus beau à offrir.

Jean-Louis, il y a huit jeunes qui vont compter sur toi bientôt. Alors cesse de perdre ton temps à lire mes conneries. Ils ont besoin de toi. Bon courage dans la sélection et bonne chance. Et n'oublie pas une phrase célèbre prononcée par un obscur gagnant : « La télévison des années 90 a besoin de la Course. »

Philippe

Montréal
15 juillet 1993

Cher Philippe,

Ta lettre m'est allée droit au cœur. J'ai tendance, au retour des huit candidats, chaque année, à me protéger devant l'amertume, les frustrations ou les reproches que certains d'entre eux peuvent adresser à la Course ou à moi. Je les comprends, la plupart du temps, et pourtant je m'étonne toujours de constater qu'ils puissent si vite oublier l'unique privilège qu'ils ont eu de parcourir, à leur guise, le monde.

La Course n'est pas sans risques... ou plutôt, devrais-je dire, le retour ne se fait pas sans douleurs... Tu en sais quelque chose !

Ta lettre me donne l'énergie de poursuivre, de replonger avec huit nouveaux aussi effrayés que vous à la veille du grand départ. Sincèrement merci.

Et, si la vie nous sépare, tu sais comme moi que personne ne pourra nous enlever ces moments passés ensemble ou au téléphone.

Je t'embrasse.

Jean-Louis

ENTREVUES
VIVRE AVEC INTENSITÉ

Lorsque plus de 300 candidats se présentent chaque année à la Course, c'est non seulement une radiographie privilégiée de cette jeunesse qui défile sous mes yeux mais j'y retrouve ce goût de vivre avec intensité, cet appel de l'autre, de l'ailleurs, cette nécessité d'aller à la rencontre de soi et de ses valeurs.

Lorsque les huit partent, la planète est à leurs pieds, les continents montrent leurs visages et reflètent le leur : il n'y a plus de fuite possible. Ils plongent et ce n'est pas d'être premier ou huitième qui compte, c'est d'être vrai. Tout engagement sincère transmet sa vérité ; l'émission puise aux sources de cet engagement et cette vérité qui transpire dans leurs films est un gage de bonheur pour les concurrents. C'est de cela dont vous parlent Sophie, Simon, Patrick, Pierre, Philippe, Manuel, Violaine et Marc.

SOPHIE **BOLDUC**

Ma relation avec la caméra a évolué tout au long du voyage, malgré les crises, les hauts et les bas. Parce que la Course, c'est vivre à 100 milles à l'heure avec les émotions au bout des doigts, être émerveillée, dégoutée, séduite, révoltée, enjouée, déçue... sans jamais arrêter de grandir et d'apprendre, sans pour autant tout comprendre !

Sophie, avant de partir, tu disais que tu voulais participer à la Course pour découvrir une liberté, celle de jongler avec de nouveaux outils pour inventer des poèmes, crier des émotions et dévoiler des visions. As-tu eu cette liberté ?

Je l'ai découverte cette liberté à travers une multitude d'outils : la musique, les sons, la couleur et tous les mouvements qui ne me sont pas permis en architecture. Ça m'a pris du temps, par contre, à comprendre comment je pouvais m'en servir. C'est ce qui est dommage avec la Course, c'est trop court. En six mois, on n'a pas vraiment le temps d'explorer à fond toutes les possibilités de la caméra. Ce n'est qu'au bout de trois mois que j'ai commencé à vraiment me sentir à l'aise avec elle. Par contre, le rythme infernal de la Course brime souvent cette liberté à cause des contraintes de temps qu'on nous impose.

Malgré tout, et contrairement à d'autres, j'ai trouvé cela très stimulant qu'on me pousse dans le dos, qu'on me force à aller toujours plus loin, plus vite, de me trouver face à une situation et de devoir prendre une décision et de faire des choix très rapidement. Comme dirait Philippe Falardeau, ce n'est pas de prendre la bonne ou mauvaise décision qui compte, c'est plutôt d'en prendre une, de vivre avec elle et de faire du mieux qu'on peut.

À certains moments, tu dis que tu as eu honte de filmer les gens. Comment es-tu arrivée, tout au long de la Course, à trouver cet équilibre entre le sentiment d'être voyeuse et l'envie de faire un film ?

Au début, j'ai eu le sentiment d'être voyeuse et j'ai effectivement eu honte de filmer les gens. J'avais l'impression de voler de « l'exotisme », pour le bon plaisir des téléspectateurs du Québec. Cela m'a d'abord culpabilisée, puis une fascination s'est installée : au travers d'un petit cadre, je pouvais choisir les images avec lesquelles je saisirais un instant, une émotion... le temps.

Ma relation avec la caméra a évolué tout au long du voyage, malgré les crises, les hauts et les bas. Parce que la Course, c'est vivre à 100 milles à l'heure avec les émotions au bout des doigts, être émerveillée, dégoutée, séduite, révoltée, enjouée, déçue... sans jamais arrêter de grandir et d'apprendre, sans pour autant tout comprendre !

Toutefois, je n'ai jamais pris d'images sans demander la permission aux gens. On finit par avoir ses trucs, ses tactiques. Le plus facile, pour moi, était de me faire présenter par mes contacts. Mais je préférais me promener seule dans la rue pendant une ou plusieurs journées pour sentir le pays, en prendre le pouls, le découvrir discrètement tout en me laissant observer et apprivoiser par les gens. Je me faisais facilement repérer en étant une femme blanche avec une caméra et un trépied. Et puis, en retournant toujours aux mêmes endroits, les gens me reconnaissaient, finissaient par me parler et j'établissais ainsi des contacts. Par contre, dans certains pays, notamment en Micronésie et en Afrique, je n'avais qu'à me pointer le nez dehors pour que tout le monde me salue. J'aimais bien laisser venir les gens à moi, plutôt que de m'imposer. Après tout, ils avaient beaucoup plus à m'offrir et à m'apprendre que moi je ne pouvais le faire.

Lorsque tu étais au Burkina-Faso, tu as fait un très beau film sur les prostituées, *Le bordel à Bobo*, mais tu étais à bout de souffle, découragée, en manque de références. Ce manque de références, pendant de la Course, qui risque de tout faire chavirer, est commun à tous les candidats. Qu'en as-tu retiré?

En terminant ce film, je suis tombée dans le classique *down* de Noël. J'aurai voulu tout lâcher, mais comme la Course c'est, dans son ensemble, le plus gros *high* de ta vie, tu passes par-dessus les faiblesses. Alors, même en descendant très creux, tu ne veux jamais que ça s'arrête puisque tu as toujours un but à atteindre, une découverte à faire. Jamais je n'aurais voulu manquer une seule seconde de ma Course.

Mais le manque de références, oui, je l'ai vécu. Le fait de se trouver toujours seule, même s'il y a les contacts téléphoniques hebdomadaires avec Montréal via Jean-Louis Boudou, c'est très difficile. La première fois que j'ai rencontré un Nord-Américain, ça faisait plus de deux mois que j'étais en voyage et ça m'a vraiment fait du bien. C'est merveilleux de voyager et de découvrir de nouvelles cultures mais tu ressens le besoin de te retrouver avec quelqu'un qui comprend ton sens de l'humour, tes tournures de phrases, tes raisonnements occidentaux...

Donc, oui, c'est difficile de vivre avec ce manque de références. Sans ami, sans repère, avec comme seuls moyens d'évasion ton imagination et les quelques romans que tu traînes dans ton sac depuis six mois. (Pas de cinéma, ni de télévision, pas de souper-causerie arrosé de vin, pas d'engueulade avec le « chum », ni de cour à déneiger.) Tu ne sais plus à quoi te référer, sur quoi te baser pour comprendre ce qui se passe autour de toi. Lorsque ça fait trois mois que tu es partie et que tu te retrouves dans une ville nouvelle, parfois tes yeux ne savent plus comment regarder, tu vas jusqu'à te demander ce que les Québécois veulent voir, ce qu'ils cherchent dans les images. Et puis, ça passe, tu te laves les yeux et tu finis par oublier le Québec.

Les gens me disent que mon début de Course a été pénible. J'avoue avoir été totalement inconsciente les premières semaines de Course. Les chocs étaient trop grands, la Course bien secondaire et banale comparée à tout ce que je voyais. Jean-Louis a dû me remettre les deux pieds sur terre... C'est peut-être dommage ! En plus, ça m'a pris du temps pour comprendre le poids des images, ce qu'elles représentaient pour le téléspectateur assis dans la neige, qui regardait des couleurs chaudes bouger dans sa petite boîte noire, à 100 000 milles de moi. J'ai alors regretté de ne pas avoir d'expérience en cinéma, si j'en avais eue j'aurais pu comprendre ce qui fonctionnait ou non à l'écran. J'ai dû faire une croix sur l'émission, sur les juges, sur ce que les téléspectateurs désiraient, sans quoi toute cette pression m'aurait détruite. De toute façon, on ne peut pas sortir ce que l'on a dans le ventre si on le fait pour plaire aux autres. Je me disais que personne ne viendrait m'aider à faire mes films, mais aussi que personne ne pourrait me voler mes souvenirs. En cours de route, j'ai donc très égoïstement déduit que la Course je devais la faire d'abord et avant tout pour moi.

Tu dis avoir eu l'occasion de remettre tes valeurs en question pendant ce long voyage. Lesquelles et comment ?

Ce qui m'a surtout frappé, c'est de constater que la réalité était bien différente de ce qu'en présente les médias : tout n'est pas que négatif dans le monde. En débarquant dans les aéroports, je ne me suis pas fait voler, ni violer ; il n'y a pas de bombes qui me soient tombées sur la tête. Il y a partout des gens qui sont ouverts, généreux et heureux, et ce, à ma grande et agréable surprise. La planète est beaucoup plus belle que ce à quoi je m'attendais. Il y a des gens qui sourient même dans la misère, ça m'a bouleversée. Maintenant, lorsque j'écoute les nouvelles, je demeure sceptique, j'ai perdu un peu de ma naïveté. Je me dis qu'il y a peut-être autre chose que les quatre ou cinq images qu'on nous projette, qu'il y a des gens qui se promènent, qui vivent à l'extérieur du cadre de la caméra. Certes, il y a du noir sur la planète, il y en a même beaucoup, mais en regardant comme il faut, on trouve du mauve et du jaune.

Avant de partir, j'avais une attitude dramatique, pessimiste et nerveuse. Maintenant, je vis de façon beaucoup plus détendue car j'ai appris que tout finit par s'arranger et que ça ne sert à rien de paniquer. J'ai découvert à quel point l'être humain est fort. Parfois, lorsque j'étais au bout du rouleau, une énergie naissait en moi, ce que j'appellais l'instinct de survie, et un nouveau souffle me permettait de repartir et de continuer.

La Course amplifie ce qu'on est dans le fond du ventre, puisqu'on est toujours confronté et prisonnier de soi-même. Nos défauts, aussi bien que nos qualités, ressortent dramatiquement, nos ambitions et désirs se confirment. Cela a donc renforcé mes passions pour la peinture, l'architecture et maintenant la caméra. Désormais, j'accepte le fait de pouvoir m'intéresser à plusieurs domaines à la fois et je ne veux jamais perdre cette façon intense de vivre que m'a fait découvrir la Course.

Tu as vraiment adoré Chuuk, en Micronésie. Si on te demandait de faire un film sur n'importe quel sujet et n'importe où, serait-ce là que tu retournerais?

J'ai adoré Chuuk, parce que ça été mon premier vrai choc culturel. C'était en début de Course, j'étais peut-être plus facilement émerveillée aussi. C'est une île où il ne se passe rien. Il n'y a que des gens qui errent dans les rues, un minimum d'organisation sociale, tout est à faire. Si, un jour, j'en venais à vouloir tout foutre en l'air, c'est dans ce genre d'endroit que j'irais m'isoler.

Pour ce qui est d'y faire un film, non, j'irais ailleurs. Je regrette de ne pas être allée dans un pays islamique. (J'ai tout de même ressenti un peu l'islam au Burkina et au Mali.) J'aurais volontiers échangé mon voyage en Tchécoslovaquie (dont j'ai été déçue; peut-être que j'attendais trop de Pragues, qui est l'une des pires boîtes à touristes que j'ai visitées), contre le Pakistan ou le Yémen. J'aurais aimé sentir cette omniprésence de l'islam. Je suis certaine que cela m'aurait fascinée, tout comme les énormes miettes du communisme en Europe de l'Est m'ont assommée à me renverser...

1

2

3

❶ Village Dogon de Sangha, au bord de la falaise du Bandiagara, **Mali**, décembre 1992.

❷ Chez les Guernon-Pelletier, Delhi, **Inde**, octobre 1992. Incroyabie ! Un drapeau du Québec, une famille généreuse et accueillante, des crêpes au beurre d'archides et au vrai sirop d'érable, du papier de toilette, de l'eau chaude et pour finir le plat : Pierre Deslandes !

❸ Le lac « d'Arsenic », près de Chabarovice, **Tchécoslovaquie**.

4

❹ La cour d'un bordel à Bobo, Dioulassou, **Burkina Faso**, décembre 1992. « Bienvenue dans notre château ! » C'est ce que m'a dit Rita, en me faisant entrer dans sa case, qu'elle partage avec Hélène. On n'y voit pas le béton du plancher : il y a du linge pêle-mêle partout, un seul matelas, des seaux d'eau.

❺ Graffitis de San Francisco, Californie, **États-Unis**, février 1993. Dernière destination : une ville colorée autant par ses murs qui parlent, son architecture victorienne, ses habitants, ses folles idées, ses rues grouillantes et stimulantes.

5

Quel a été ton moment le plus difficile pendant la Course?

Comme je te le disais plus tôt, il y a eu ce fameux *down* à Noël qui a été pénible et que presque tous les coureurs ont ressenti. Ce n'était pas vraiment parce que c'était Noël, mais plutôt parce que ça faisait quatre mois que j'étais partie et j'ai eu envie de tout lâcher. J'étais en Afrique, c'était les dernières journées que j'y passais, et j'étais incapable de me concentrer sur quoi que ce soit. La méfloquine jouait ses tours. Je n'en pouvais plus, je me levais le matin en comptant le nombre d'heures qui me séparaient du soir. Je me souviens d'avoir divisé les pages de mon roman selon le nombre de jours qu'il me restait à attendre avant mon départ pour l'Amérique du Sud. Je vérifiais combien de temps il restait sur mes piles de balladeur et calculais le nombre de chansons que je pouvais me payer par heure. J'étais au bout du rouleau. De plus, j'acceptais difficilement la place réservée aux femmes dans la société africaine. Peut-être ai-je réagi en « féministe frustrée », mais c'était la première fois de ma vie que j'étais confrontée à une oppression qui m'a blessée en tant qu'Occidentale de la fin du XXe siècle. Je m'y suis fait dire: « Sophie, ferme ta gueule. Puisque tu es une femme, tu n'as pas à avoir d'opinion. » Ce qui ne m'était jamais arrivée au Québec. C'est peut-être pour ça que j'ai tellement aimé les prostituées de Bobo. Elles étaient entre elles et n'étaient pas prises dans une structure religieuse ou familiale (du moins en surface). Elles parlaient et disaient ce qu'elles pensaient, contrairement à d'autres femmes africaines que j'ai rencontrées.

Et le moment le plus enivrant?

C'est Calcutta. Mais surtout Calcutta en opposition à l'Europe de l'Est. En Inde, c'est de la vraie misère avec un M majuscule, les gens vivent de mendicité, dorment le long des trottoirs, tassés comme des sardines. Mais ils ont une force de vivre incroyable! Ils marchent la tête haute et sont fiers d'être Indiens. Et dans toute la folie de Calcutta, il y a des gens qui sourient partout et malgré tout. Je ne m'attendais pas à ça. En fait, j'avais très peur d'y aller, on m'avait tellement dit de faire attention. J'ai été séduite par ce peuple digne. Alors qu'en Ukraine et en Pologne, là où, toutes proportions gardées, c'est de la misère mais avec un m minuscule, j'ai trouvé les gens malheureux. Ils savent ce à quoi ils aspirent et sentent parfois qu'ils se débattent comme des diables dans l'eau bénite. Certains ont simplement baissé les bras. En Inde, les gens ne s'apitoient pas sur leur sort, puisent la beauté dans les moindres gestes, prennent le peu qu'ils ont et l'apprécient au maximum.

Lequel de tes films a été le plus important pour toi?

Celui sur les prostituées, *Le bordel à Bobo.* Elles ont été mes meilleures amies parmi tous ceux et celles que j'ai rencontrés. J'avais l'impression d'être, pour elles, une grande sœur ou une mère. Je n'étais pas là pour les juger mais plutôt pour rigoler avec elles et les écouter. Une d'entre elles, Mama, m'a cousu un boubou. Elle l'a fait avec tout son cœur et voulait simplement me faire plaisir. On s'est quittés en pleurant. Elles veulent que je retourne les voir, que je leur envoie des photos. Ce sera impossible de rester en contact avec elles puisqu'elles n'ont aucune adresse fixe. Ces petites filles se promènent comme des âmes perdues. Il est difficile de savoir où elles seront demain. Mais si jamais je retourne en Afrique, j'essaierai, naïve que je suis, de les retrouver.

Les départs ont toujours été difficiles. À chaque semaine, c'était l'avion, les pleurs, les regrets, la fin d'un rêve, la fin du monde. Il y avait toujours ce déchirement parce que je savais que je ne reverrais jamais ces personnes. Mais tout ça fait partie des règles du jeu lorsqu'on accepte de faire la Course.

Tu n'avais vraiment pas envie de rentrer au pays. Tu dis que la Course t'as fait vieillir de 10 ans. Qu'as-tu envie de faire maintenant?

Oui. La Course m'a fait vieillir de 10 ans parce que le train, dans lequel on embarque, roule à 100 milles à l'heure. Ce qui m'aurait pris un mois à vivre, dans un contexte normal, je le faisais en une heure pendant la Course. Tu n'as pas le choix de vivre comme ça, sinon tu ne passes pas au travers. La Course fait aussi grandir par toutes les découvertes, les rencontres et les apprentissages. Je ne voulais pas revenir, car plus le temps passait plus la fin de ce rêve se dessinait. Je repartirais demain matin, avec ma caméra, bien sûr, puisque je commence à peine à comprendre comment fonctionne ce foutu appareil!

Les candidates de la Course 1991-1992 avaient très bien « performé » aux yeux des juges. Est-ce que ça été un stress supplémentaire pour toi et Violaine Gagnon ?

Personnellement, cela ne m'a pas préoccupée. La Course, c'est pour soi qu'on la fait et chacun la vit à sa façon. Si je m'étais laissée affecter par mes premières notes, qui n'étaient pas bonnes, j'aurais coulé à pic et serais passée complètement à côté de ma Course. Je ne me suis pas laissée abattre, en me disant que ceux qui me jugeaient ne sauraient jamais ce qu'est véritablement la Course. De toute façon, il y a deux courses : celle de la télévision et celle que tu vis au quotidien. Moi, c'est de cette dernière dont j'ai vraiment profité.

Effectivement, chacun des coureurs vit sa propre Course. Depuis votre retour, est-ce que vous vous voyez souvent ?

Oui. On est revenu depuis quelques mois et on se voit régulièrement. Je me souviens d'un soir où nous étions tous assis ensemble à prendre une bière et pendant au moins cinq minutes personne n'a parlé (avec les grandes gueules des gars, c'était un miracle !). On regardait tous un peu partout, on était partis dans nos rêves qui, en fait, étaient à peu près les mêmes : repartir pour le Cambodge ou le Liban ou... Une énergie vibrait à en faire trembler les tables. Finalement, Marc Roberge a rompu le silence en nous demandant : « Est-ce que quelqu'un, ici, a encore peur de quelque chose ? » La réponse fut instantanée et unanime : « Non ! »

SIMON DALLAIRE

Je suis parti faire la Course, comme on part faire son service militaire. Je ne dis pas ça péjorativement, mais je savais que ce ne serait pas facile et qu'une fois que j'aurais été choisi pour la faire, je n'aurais plus le choix, je ne pourrais plus reculer. Ceci étant dit, je savais que ce n'était que pour six mois. Je suis revenu et ma vie n'a pas changé tant que ça. J'étais heureux de revoir mes amis et de me savoir bien entouré.

Simon, lorsqu'on t'a demandé, avant de partir, ce qui était le plus important pour toi dans la vie, tu as répondu à la blague : « Devenir une célébrité. » Et maintenant, que réponds-tu ?

C'était dit un peu à la légère, à ce moment-là. Aujourd'hui, je dirais que c'est devenu la chose la moins importante. Je n'oserais même plus le dire à la blague. Ce qui est primordial pour moi, maintenant, c'est d'être avec ceux que j'aime et qui m'aiment et d'essayer de leur donner tout ce dont ils ont besoin. J'ai l'impression que la célébrité peut créer un climat de solitude. Les gens célèbres, on les voit partout, mais ils semblent toujours seuls avec eux-mêmes. Je ne crois pas que je pourrais vivre comme ça. La Course m'a fait comprendre que le bonheur ne se cache pas si loin que ça : c'est avec et par ceux qu'on aime qu'on le trouve.

Je suis parti faire la Course, comme on part faire son service militaire. Je ne dis pas ça péjorativement, mais je savais que ce ne serait pas facile et qu'une fois que j'aurais été choisi pour la faire, je n'aurais plus le choix, je ne pourrais plus reculer. Ceci étant dit, je savais que ce n'était que pour six mois. Je suis revenu et ma vie n'a pas changé tant que ça. J'étais heureux de revoir mes amis et de me savoir bien entouré.

Parmi tous les candidats de la Course, tu sembles être celui qui a eu le moins de difficultés avec la solitude, l'angoisse et le stress. Comment arrivais-tu à négocier avec cela ?

Je n'ai pas vraiment eu de grosses crises d'angoisse pendant la Course. J'ai eu des hauts et des bas, comme tout le monde, mais rien de sérieux. Il y a quelques années, j'étais quelqu'un de très angoissé. Mais, un jour, j'ai compris que ça ne servait à rien de courir après le malheur ; de toute façon, s'il doit arriver, il nous rattrapera bien assez vite. Le bonheur, lui, attend au coin de la rue qu'on aille le chercher. J'avais donc décidé de changer ma vision de la vie, de m'attarder aux choses positives plutôt que négatives. La Course est arrivée à ce moment de ma vie. J'ai mis toute mon énergie à préparer mon dossier de candidature, à passer les entrevues et j'ai été sélectionné. Pendant la Course, j'ai appris à reléguer mes petites bibittes au fond des tiroirs de mon inconscient. Je me dis maintenant que si j'ai été capable de passer à travers ces six mois, je suis capable de passer à travers n'importe quoi. J'ai compris que, dans la vie, on finit toujours par s'en sortir. De toute façon, la Course, c'est très dur physiquement, on ne peut donc pas se permettre de se laisser abattre mentalement, sinon on risque de ne pas la finir.

Tu t'es particulièrement intéressé aux langues des différents pays que tu as visités. Était-ce pour te rapprocher davantage des gens?

J'ai toujours aimé les langues étrangères. Avant la Course, Jean-Louis Boudou nous avait donné un guide du parfait coureur, que j'appelais le guide du parfait «connard». Pendant la Course, je me suis fabriqué un dictionnaire du parfait «connard», où je notais un minimum de mots de la langue du pays que je visitais pour pouvoir communiquer avec les gens que je rencontrais. C'était extraordinaire de voir le visage des gens s'illuminer lorsque je pouvais leur dire quelques mots dans leur propre langue. C'était, pour moi, une façon de leur dire que je reconnaissais leur culture et que je les respectais. Après tout, la culture d'un pays passe d'abord par sa langue. De connaître quelques rudiments d'une langue m'a ouvert non seulement plusieurs portes mais aussi plusieurs cœurs. Je me sentais, effectivement, plus près des personnes que je rencontrais.

Il y a aussi le côté rigolo de chaque langue que j'aime bien. J'adore les accents particuliers à chaque langue et me régale en les imitant. J'aime bien rire de moi-même mais aussi, parfois, gentiment des autres.

Lorsqu'on pense à ton film *Saveur de croissant fertile*, avec la famille de Libanais, ce devait être très difficile de devoir quitter constamment ces gens que tu rencontrais, au bout d'une semaine?

La famille de Miladé, que j'ai présentée dans ce film, je ne les oublierai jamais. Peut-être qu'eux vont m'oublier, je ne sais pas. On passe toujours en coup de vent chez les gens, pendant la Course. On ouvre une porte, puis on la referme assez rapidement. Donc, il se peut qu'ils ne m'aient vu que comme quelqu'un qui n'a fait qu'entrer dans leur vie, pour en ressortir aussi vite. Par contre, je sais qu'il s'est passé quelque chose d'extraordinaire avec cette famille. J'ai écrit plusieurs lettres à Miladé, dont je n'ai pas encore reçu de nouvelles. Ça m'inquiète un peu, vu la situation précaire dans laquelle elle et sa famille vivent à Beyrouth. Il y a quelques jours, j'ai eu envie de retourner les voir, pour m'assurer qu'ils allaient bien. En regardant le prix des billets d'avion pour me rendre là-bas, je me suis rendu compte que c'était impossible.

Je pense aussi à Denis, en Afrique, avec qui j'ai fait mon *Étude ethnologique 1.* Avant de le quitter, il m'a demandé mon adresse, en me disant qu'il voulait m'écrire. Il habite en pleine brousse. J'aurais voulu prendre la sienne : Denis le « Diola », trois palmiers, à gauche, en sortant de la forêt, tout près de la hutte principale. Je me sentais un peu bizarre, parce qu'en pleine brousse, il n'y a, bien sûr, ni boîte aux lettres, ni facteur. Ce serait donc très difficile pour lui de m'écrire. En me demandant mon adresse, ce n'était qu'une façon, pour lui, de me dire qu'il ne m'oublierait pas et qu'il espérait que ce serait de même pour moi. J'ai eu de la peine en le quittant. Tout ce que j'ai pu faire, c'est lui offrir des crayons pour ces enfants et quelques francs CFA. Cela me semblait tellement peu par rapport à ce que lui m'avait donné.

Tous les gens rencontrés pendant la Course m'ont profondément marqué, chacun à leur façon. Chaque départ était déchirant et j'ai beaucoup de remords d'avoir quitté, parfois un peu rapidement, ceux qui m'ont aidé pendant le voyage. Ça me fait toujours du bien de recevoir de leurs nouvelles, ça calme ma culpabilité. Ce qui est dommage, c'est que ces rencontres soient obligatoirement devenues des souvenirs et que je ne puisse pas retourner où je veux, quand je le veux.

Lequel de tes films t'a le plus marqué ?

Celui que j'ai le plus senti, c'est *Compte rendu émotif du vol*, tourné au Liban. C'est aussi un bon exemple de la différence énorme qui existe entre ce que tu peux vivre en faisant un film et la façon dont les juges de l'émission le critiquent. Eux, en entendant le Notre-Père à la fin du film, pensaient que je prenais parti pour les chrétiens dans la guerre qu'ils entretiennent avec les musulmans, mais ce n'était pas le cas. C'était plutôt ma façon de dire aux gars que j'avais rencontrés : « Je vous aime. »

Saveur de croissant fertile m'a aussi marqué par le côté rigolo de la mise en situation que j'avais réussi à créer avec la famille de Miladé. Il y a aussi mes films du Niger sur les relations hommes/femmes. Enfin, tous les films que j'ai faits étaient importants pour moi, sinon je ne les aurais pas faits. J'ai appris à chaque fois et j'ai essayé de communiquer aux téléspectateurs cet apprentissage.

Mes relâches m'ont aussi beaucoup apporté. Par exemple, celle où je chante la *Bamba* : j'étais au Bangladesh, assis dans un *guest-house* et j'ai

1

❶ Beyrouth, **Liban**. Miladé, Rabhia, Maurice et moi. Une famille avec de grands espoirs et d'énormes pâtisseries.

❷ Directement de Lahore, au **Pakistan**, me voici en compagnie de deux lutteurs pelwans, diplômés de l'institut des pas doux.

❸ Ce jour-là, à quelque 500 kilomètres de Niamey, au **Niger**, je dus méditer sur une question primordiale de mon existence : avais-je été africain dans une vie antérieure ?

2

3

entendu quelqu'un jouer cet air. Je n'en revenais pas. Je suis allé les voir et on a chanté ensemble pendant que la caméra tournait. Je voulais montrer aux Québécois que le Bangladesh n'est pas uniquement ce qu'on nous en montre aux informations. Là aussi, on fait de la musique, on s'amuse, on vit.

Tu dis que les plus beaux films sont ceux qu'on n'a pas faits. Y a-t-il un film que tu aurais voulu ou voudrais faire, si tu le pouvais?

Je n'ai pas de sujets particuliers, sinon la vie quotidienne des gens. Je me souviens qu'en me promenant en taxi, par exemple, je voulais tout filmer ce que je voyais et ne connaissais pas. J'ai inventé des milliers de films dans ma tête et c'est dans ce sens-là que j'ai dit que les plus beaux films sont ceux qu'on n'a pas faits. J'aimerais bien retourner au Liban et en Afrique, mais je ne suis pas sûr que ce serait avec une caméra car je trouvais ça très agressant pour les gens. Je préférerais y retourner pour leur serrer la main, discuter avec eux et essayer de les aider. J'aimerais mieux aller les aider que les filmer pour montrer qu'ils ont besoin d'aide; aller vivre avec eux plutôt que les filmer pour montrer comment ils vivent.

La Course est faite de hauts et de bas. Peux-tu nous parler de l'expérience la plus enivrante de ta Course?

Tout mon séjour africain, de l'arrivée au départ. Je suis arrivé très tard dans la soirée au Sénégal. Je me souviendrai toujours de cette première nuit. J'habitais chez des religieux. J'étais couché dans mon lit, je transpirais et il y avait des lézards au plafond et des moustiques partout. Je me suis dit: «Ça y est, je suis en Afrique.» Au matin, je me suis promené dans le sable, il faisait chaud, j'étais dépaysé mais tellement bien. Le contact humain avec les gens y a été extraordinaire. J'y ai aussi fait, je crois, de bons films de qualité. J'avais l'impression d'avoir été assis sur une bombe qui a explosé en Afrique.

Et la plus pénible?

Probablement le retour, le retour au Québec, à la réalité, à la fatalité du quotidien. C'est ce qu'il y a de plus difficile mais ce n'est pas nécessairement l'apocalypse. Je m'en tire assez bien. Pendant le voyage, j'ai souvent pensé aux sept autres finalistes qui n'ont pas été sélectionnés pour faire la Course. Je me suis demandé s'ils avaient d'autres rêves, puisque celui de la Course n'avait pas marché. J'espère bien pour eux, car c'est important d'en avoir plusieurs dans notre vie. Mon rêve de la Course est terminé et je me rends compte aujourd'hui qu'il me faudra le remplacer par un autre.

Il y a eu aussi la fin de Course au Brésil qui a été difficile. Je commençais à être vraiment brûlé, physiquement et mentalement. J'aurais pu continuer à voyager pendant six mois encore, parce que j'étais bien en voyage, mais pas en ayant à produire 19 autres films dans les mêmes conditions.

Tout au long de tes films, tu t'es présenté comme un personnage un peu fanfaron, bouffon. Une fois embarqué dans cette galère, n'as-tu pas eu peur que ce personnage fausse la vision qu'on avait de tes films?

Beaucoup de gens ont effectivement eu une fausse vision de mes films. On m'a demandé si j'avais voulu rire des gens. Ça m'a vraiment écœuré. Je ne me serais pas tapé 5 000 kilomètres pour aller rire du monde. Il y en a plein, ici même. Si c'était ce que j'avais voulu faire, je serais resté ici. J'ai tout simplement voulu qu'on se souvienne de moi comme d'un gars souriant. Je ne voulais pas m'apitoyer sur le sort des gens, je voulais les faire sourire. Je suis allé filmer des gens qui se sont ouverts à moi, qui m'ont parlé d'eux et de ce qui les entourait. En faisant des présentations humoristiques, je voulais dédramatiser la Course, comme je le fais avec ma propre vie. Pendant la Course, si j'ai ri de quelqu'un, c'est de moi et de personne d'autre.

As-tu pu faire le bilan de ta Course?

Un bilan rapide pourrait se résumer dans le mot « respect ». J'ai toujours respecté les autres et aimé qu'on me respecte aussi. La Course n'a fait que confirmer cela pour moi. Ça me fait penser à une petite anecdote. J'étais au Pakistan, attablé avec des gens. Eux mangeaient avec leurs mains et s'en sont excusés parce que moi je mangeais avec une fourchette. Je leur ai répondu que c'était à moi de s'excuser de ne pas manger comme eux, puisque j'étais, après tout, dans leur pays. Ce que j'ai apprécié, c'est qu'ils respectaient ma façon de faire, autant que moi la leur.

La Course m'a aussi permis d'apprendre que les gens, comme je te le disais tout à l'heure, c'est ce qu'il y a de plus important dans la vie. Je veux maintenant apprendre à apprécier davantage ce que j'ai et à être heureux dans ce que je fais. J'ai aussi envie de retourner aux études et, éventuellement, d'aller travailler sur un projet de développement en Afrique. Les Africains ont été tellement chaleureux et accueillants avec moi, que j'aimerais bien avoir la chance d'aller les aider un peu, à ma façon.

Le prince déchu

À Cécile Paulhus

À chaque jour, pendant six mois, du 14 août au 15 février, des pistes lisses de Mirabel aux sols sablonneux de Bomako, du fond de mes yeux au fond de mon cœur, de Boudou aux bouts plus durs, j'ai eu l'impression, lors de certains matins internationaux, de poser ma langue humide sur les rails d'un chemin de fer secs et glacés. Vous vous rappelez ? C'est le genre de truc risqué que l'on fait, étant gamin, sans savoir qu'une bonne couche de chair restera collée sur le métal du Canadien National.

À chaque jour, pendant six mois, j'ai presque regretté de ne pas avoir laissé mes mains s'imprégner de la moiteur de celles que j'ai serrées.

À tous les jours, pour le reste de ma vie, je maudirai le ciel d'être trop haut, je maudirai tous ces cieux de n'avoir pu voler en rase-mottes pour ne jamais quitter des yeux tous ces regards continentaux.

Si la vie après la mort est éternelle, mes souvenirs le seront tout autant. J'ai, dans le labyrinthe de ma mémoire, au-delà de 5 000 couleurs : celles de leurs yeux, celles de leur peau. Demain matin, juste avant l'aube, je partirai, l'horizon tendu comme une toile, peindre 20 000 visages.

À tous ces gens que j'ai aimés, de Bucarest à Quito, de Miladé à Voroshilov, sachez qu'il n'y a qu'un prince déchu, et c'est moi. J'espère survivre dans le vieux coffre de vos souvenirs.

Adieu, amen
Simon Dallaire
11 mai 1993

PATRICK **DEMERS**

Pour ce qui est du bilan de ma Course, ce qu'elle m'a d'abord appris, c'est d'avoir du respect et de la compassion pour les gens, et que nous sommes tous fondamentalement les mêmes. Ce sont des choses que je savais avant de partir mais, maintenant, je les sens, les vois et les vis à tous les jours.

Patrick, au cours des premières semaines de Course, tu te sentais « pissou », perdu. C'était la première fois que tu partais à l'étranger. Le choc a dû être très violent ?

Oui, j'étais énervé. Il faut dire que la journée du grand départ, je n'avais pas encore terminé mes bagages. J'ai acheté, juste avant de partir, la paire de jeans qui allait être une extension de mon corps pendant ce voyage et le sac de ma caméra. En arrivant à l'aéroport, j'ai même oublié mon trépied dans la voiture de ma blonde. Elle a dû courir pour le récupérer. Je prenais l'avion avec Simon, Marc et Violaine à destination de Paris, où nous faisions tous une escale avant de repartir chacun de notre côté pour des endroits différents. Simon et Marc m'ont attendu pendant que je récupérais mon trépied. Nous sommes donc arrivés en retard pour l'enregistrement de nos bagages et l'embarquement, ce qui a fait que nous avons été surclassés, en classe affaires. C'était agréable, mais en même temps décevant, parce que Violaine ne pouvait pas s'asseoir avec nous... Je suis allé lui porter mon caviar pour la consoler.

Lorsque que nous avons atterri à l'aéroport Charles-de-Gaulle, nous nous sentions tous un peu bizarres car nous savions que nous devions nous quitter dans quelques heures. Violaine a été la première à partir. Lorsque ce fut mon tour, Simon et Marc se sont tus. Un petit vent de panique s'est installé, mais ça n'a duré que quelques secondes. Je me suis levé, leur ai souhaité bonne chance et je suis parti. En me retournant, j'ai vu Simon qui était debout, bien droit, la main figée dans les airs, puis je l'ai perdu de vue derrière une colonne. J'ai gardé cette image en tête durant les quelques heures qui ont suivi...

J'ai pris l'avion pour Moscou. À mon arrivée, un Russe s'est approché de moi, pour m'indiquer la direction à prendre afin de récupérer mes bagages, en me disant : « *That way, Madam* ! » Bon, ça commençait ! Tiens bien ta tuque...

J'ai eu tous les problèmes du monde pour trouver de la monnaie, des kopecks et un téléphone afin d'appeler mes contacts pour les avertir de mon arrivée. Personne ne parlait ni français, ni anglais. Finalement, j'ai réussi à les rejoindre et à me rendre chez eux. Ce fut un soulagement de courte durée, puisque je ne pouvais habiter chez eux. Après un souper chez Pizza Hut, ils m'ont conduit chez une amie journaliste, partie en vacances, qui avait accepté de me prêter son appartement. En ouvrant la porte de l'appartement, nous sommes tombés sur un homme et une femme, complètement nus, qui discutaient dans la cuisine. Nous l'avons aussitôt refermée, en nous demandant ce qui se passait, puisque l'appartement devait être vide. Mon contact est retourné dans l'appartement pour vérifier l'identité de ces personnes : ce n'étaient que l'interprète de la journaliste et son ami. De toute évidence, ils ne m'attendaient pas ce jour-là (il y avait même une caméra vidéo allumée sur le réfrigérateur, *Home movies,* Moscovites !), mais finalement ils se sont rhabillés et tout est entré dans l'ordre. Premier contact avec l'étranger...

Les premiers dix jours de ma Course ont été difficiles. Je doutais de mes capacités de cinéaste et craignais la réaction de mes proches, ainsi que celle de tous les téléspectateurs lorsqu'ils verraient mes films. Après ce court laps de temps, je me suis senti plus à l'aise avec l'idée que, pendant les six prochains mois, ce serait moi, la caméra et le monde.

Comment faisais-tu pour trouver un sujet, qu'est-ce qui te fascinait ?

Avant de partir, j'avais monté une banque de sujets pour chacun des pays que j'allais visiter. En début de Course, mon problème résidait justement dans le fait que je voulais trop avoir des « sujets ». Ça me mettait des bâtons dans les roues, parce que le sujet choisi avant de partir n'était pas nécessairement celui que j'avais envie de faire une fois sur place. Je me souviens du premier film que j'ai tourné. Le sujet que j'avais choisi est tombé à l'eau pour toutes sortes de raisons. J'ai dû me rabattre sur une pile de revues françaises produites en Russie, où j'ai trouvé un sujet. J'ai finalement tourné mon film mais je n'ai pu le monter que quelques semaines plus tard car j'étais complètement bloqué. J'avais peur d'envoyer ce premier film, peur de me casser la gueule, peur tout court.

Par la suite, je ne voulais plus de sujets ni de contacts. Je voulais plutôt faire des films en réaction à ce que je vivais. Je trouvais mes sujets par toutes sortes de moyens, selon les gens que je rencontrais, les expériences que je vivais avec eux et l'ambiance du pays en général. À la fin, les sujets n'étaient plus, pour moi, que des prétextes pour faire les films que j'avais envie de produire mais prétextes, surtout, pour aller à la rencontre des gens.

1

❶ Rumbur, **Pakistan**. Quelques minutes avant la photo, il avait grimpé à un arbre et mangeait ses fruits. Il devait avoir plus de 50 ans et il avait fait cela avec la simplicité d'un garçon de 9 ans.

❷ Katowicw, **Pologne**. Famille tzigane sur un trottoir d'Europe de l'Est. Proximité de la Yougoslavie ou non. Sans commentaires.

2

Ton film *Le désert du Tal, un matin d'octobre* traduisait bien ton état d'âme à ce moment. Tu étais en Afrique, tu t'y sentais mal à l'aise, coupable d'être Blanc et impuissant face aux situations de pauvreté et de guerre qui y sévissent. Ce sentiment de culpabilité t'a-t-il suivi tout au long de la Course ?

Non, puisque c'est en Afrique que je m'en suis débarrassé. Ça n'avait pas de sens de continuer à culpabiliser comme ça. Parfois, je me demande pourquoi ça s'est produit en Afrique, plutôt qu'ailleurs, puis je me dis que c'est probablement parce que je ne connaissais pas grand-chose de ce continent. C'est un autre monde. Le fait que l'Afrique ait été colonisée par des Blancs me rendait très mal à l'aise. Lorsque j'étais là-bas, je pensais continuellement aux frontières (tracées arbitrairement par les colons) et à tous les problèmes qui leur sont liés. Ça me faisait capoter de me rendre compte qu'il y avait tant de victimes à cause d'elles. Puis, je me suis dit que, si je continuais à toujours voir les gens comme des victimes, je ferais un voyage de Blanc et ne réussirais jamais à communiquer vraiment avec eux. En culpabilisant, je me plaçais au-dessus d'eux. J'ai donc décidé de m'approcher des gens plutôt que de m'apitoyer sur leur sort, dont je me sentais en partie responsable. Ça m'a beaucoup soulagé et permis de rencontrer les gens sur un pied d'égalité. En plus, à un certain moment, j'en suis venu à me demander si c'était vraiment mieux de vivre dans un pays industrialisé.

Tu as été séduit par le Niger. Si on t'offrait d'aller faire un film n'importe où, sur n'importe quel sujet, retournerais-tu au Niger ?

Le Niger est un des endroits que j'ai le plus aimé, car la vie y est tellement forte. C'est un des pays les plus pauvres de la planète, qui souffre continuellement de sécheresse (les deux tiers du pays sont un désert), mais les gens y sont tellement gentils, doux, humbles et respectueux. Les musulmans m'ont appris le vrai sens du respect. Ils en ont fait une valeur fondamentale. Je me suis toujours posé la question, à savoir si les gens méritaient d'être respectés jusqu'à preuve du contraire ou s'ils devaient plutôt gagner mon respect. Les musulmans ont réglé la question pour moi. Ils m'ont convaincu que tout le monde méritait d'être respecté de prime abord. Je me suis rendu compte que cette façon de faire me permettait de créer des liens beaucoup plus étroits avec les gens.

J'ai adoré le Niger pour son désert aussi. Cela peut sembler paradoxal d'aimer un pays pour ce qui rend la vie de son peuple tellement difficile, mais le désert m'a vraiment fasciné et je crois qu'il les fascine, eux aussi, puisqu'ils en sont issus.

Je voudrais bien revoir le Niger, le Cambodge, le Pakistan et l'Indonésie, mais pour ce qui est d'y retourner pour faire un dernier film, je te dirais que j'irais plutôt dans un endroit que je ne connais pas, comme la Mauritanie ou la Birmanie. Pour ce qui est du sujet, je réagirais à ce que je verrais et aux gens que je rencontrerais.

Tu as rencontré Simon Dallaire lorsque tu étais à Delhi. Comment se déroulent ces rencontres avec les autres candidats pendant la Course?

Avant de rencontrer Simon à Delhi, je lui ai d'abord parlé au téléphone du Pakistan. J'avais été très malade la semaine d'avant et j'avais accumulé du retard dans la production de mes films. J'étais stressé au moment où je lui ai parlé. Quel soulagement de pouvoir parler à quelqu'un qui comprenait ce que je vivais! Lorsqu'on s'est rencontrés à Delhi, ça m'a aussi fait beaucoup de bien. Les dernières notes que j'avais reçues pour mes films étaient très mauvaises, ce qui m'affectait terriblement à ce moment-là. On a flâné ensemble, on a pris une bière, on a discuté, enfin on a réussi à prendre une petite pause dans la Course. Ça m'a réconforté de me rendre compte que nous vivions la même chose et qu'on pouvait s'en parler. Ça m'a aussi permis de faire un bilan de ma Course. Mon film préféré, justement, c'est à la suite de ce premier coup de fil que je l'ai produit.

Quel a été le moment le plus excitant de ton voyage?

Un moment vraiment fort, c'est ma rencontre avec les Kalashs (une communauté non musulmane en pays musulman) dans le nord du Pakistan. J'ai roulé pendant 13 heures sur une route creusée dans la montagne, avec un ravin d'un côté et un mur de roche de l'autre, et marché 2 autres heures pour m'y rendre. Lorsque je suis arrivé, la première chose qui m'a impressionné, c'était de constater la liberté de ce peuple qui vivait somme toute en pays musulman. J'étais au Pakistan et arrivais de Somalie, où les femmes, si tu réussis à en voir une, sont toutes voilées. Enfin, chez les Kalashs, je pouvais voir des femmes non voilées. Les Kalashs, dont certaines avaient les yeux bleus, étaient vraiment belles, de l'enfant à la grand-mère.

3

4

❸ **Mali**, planète Terre. Un vieux prélassant son sourire, devant l'objectif d'un jeune curieux, avec la grâce d'un regard sans problèmes.

❹ New Delhi, **Inde**. À quelques pas d'un club vidéo, truffé de copies pirates, d'un comptoir à Pepsi dans la glace et d'un groupe de *taximen* sikhs, un Indien et sa fortune.

❺ Rumbur, **Pakistan**. Deux frères kalashs qui empilent des bouts de roches dynamitées dans une brouette, pour allonger la route menant à leur village, creusée à même la montagne.

5

Autre particularité, les Kalashs fabriquent et boivent du vin en pays musulman. C'est une boisson très prononcée en levure que j'ai goûtée à leur santé, au risque de fâcher mon estomac. Ce sont aussi des gens vraiment généreux. Ils m'ont donné une maison, sans me demander combien de temps je resterais et sans rien me demander en retour. Ce peuple est l'incarnation même de la liberté.

Le paysage y était aussi extraordinaire. On était en altitude, il faisait un peu frais et il y avait une rivière qu'on entendait toujours couler. On m'y a fait sentir vraiment chez moi. Je me souviens d'une visite qu'une petite Kalash m'a faite, alors que j'écoutais de la musique dans la maison que les gens de son village m'avaient offerte. Elle est entrée et m'a parlé en kalash. Je lui ai répondu, en anglais, que je ne comprenais pas sa langue. Elle a continué à me parler, comme si de rien n'était, puis est sortie sur mon balcon. Je l'ai suivie. Elle s'est mise à chanter, puis m'a parlé à nouveau. Je lui ai répondu que je ne comprenais rien (cette fois-ci, avec mon meilleur accent québécois) mais qu'elle pouvait continuer, qu'elle me fascinait. C'était réellement agréable de l'entendre. Je suis allé chercher ma caméra, même si j'ai eu peur que cela ne brise le charme, pour pouvoir partager ce moment privilégié avec les téléspectateurs ou plutôt pour essayer de leur faire comprendre le charme de certains moments anodins. Je lui ai montré comment ça fonctionnait et ai réussi à lui faire comprendre que je voulais qu'elle chante. C'est ce que les gens ont pu voir dans mon film *Les yeux fragiles.*

Et le moment le plus rude?

C'est probablement à la suite de ma rencontre avec Simon, à Delhi. J'ai fait une petite dépression. Non seulement Simon venait de partir, mais les Guernon-Pelletier, chez qui j'habitais, avaient aussi quitté Delhi pour les vacances de Noël. Je me suis donc retrouvé complètement seul. Je pensais à ma blonde, en me demandant si elle ne m'avait pas oublié, si elle voudrait toujours de moi, si elle n'était pas trop déçue de ma performance (j'avais reçu de mauvaises notes pour mes films à cette période-là). Je venais à peine de récupérer un peu, à la suite d'une maladie attrapée en Somalie, et ne me sentais pas la force de continuer... Mais on finit toujours par trouver l'énergie pour s'en sortir et repartir à nouveau, un peu plus fort.

Quel a été, pour toi, le film le plus important de ta Course?

Si je dois n'en choisir qu'un, ce serait celui avec les Kalashs, *Les yeux fragiles*, dont je t'ai parlé plus tôt. Il m'en reste de si beaux souvenirs. J'avais l'impression de me trouver au paradis en faisant ce film-là.

Le retour, ça s'est passé comment pour toi?

Ce qui a été dur en revenant, c'est l'inaction et, en même temps, toute l'attention qu'on nous donnait du point vue médiatique. Depuis mon retour, ce que je trouve pénible aussi, ce sont les flashs que j'ai de mon voyage, parce qu'ils me rappellent combien j'étais heureux pendant la Course. Je suis en ce moment entre deux périodes de ma vie: la Course et l'après-Course. C'est une phase difficile, pendant laquelle je me questionne, j'ai des fourmis dans les jambes et j'essaie de me retrouver...

J'aurais le goût de me mettre à faire du reportage mais, cette fois-ci, sur les gens d'ici. Je trouve que c'est tellement fou de ne pas connaître le Québec, alors que je viens de faire le tour du monde. Marc Roberge m'a promis de m'amener au Témiscamingue, cet été. Je vais donc commencer par là. J'ai très hâte. J'ai aussi envie de me mettre à la scénarisation. Je me suis rendu compte pendant la Course que ce qui était important pour moi, c'était les gens; en fiction, je veux donc m'attarder aux personnages.

Pour ce qui est du bilan de ma Course, ce qu'elle m'a d'abord appris, c'est d'avoir du respect et de la compassion pour les gens, et que nous sommes tous fondamentalement les mêmes. Ce sont des choses que je savais avant de partir mais, maintenant, je les sens, les vois et les vis à tous les jours.

PIERRE
DESLANDES

La façon d'être et de vivre continuellement avec soi pendant la Course est très enrichissante. Il y a plein de situations où tu dois et réussis à te démerder rapidement pendant ce voyage. C'est très rassurant de savoir que je suis capable de trouver des solutions à diverses situations, du dédale administratif au vrai merdier.

Pierre, en début de Course, tu te demandais si l'émission de la Course Destination Monde existait vraiment, si ce n'était pas un coup monté. Quelle réaction as-tu eue lorsque tu as visionné, pour la première fois pendant la Course, une émission où l'on parlait de tes films ?

La première fois que j'ai vu l'émission, c'était à Paris. On était au mois de décembre, ça faisait donc déjà quelques mois que l'émission marchait. Ma première réaction a été de me dire que ce n'était pas si pire, par rapport à ce que Jean-Louis m'avait dit. J'ai aimé voir que chacun de nous se cherchait un style. Même s'il y avait quelques hésitations techniques, je trouvais que nous avions tous de bons sujets.

En visionnant mes films, je regardais d'abord si le monteur avait bien suivi mon plan de montage. Il me fallait les regarder plusieurs fois avant de bien les apprécier car, au premier visionnement, je voyais mon film passer en quatre minutes et demie, alors que certaines de mes séquences de montage avaient pris une journée à faire. Je voyais aussi les erreurs que j'avais pu faire, des choses que j'aurais voulu changer. En général, j'étais assez déçu de ce que j'arrivais à produire.

Je trouvais toujours que les autres coureurs produisaient de meilleurs films. J'étais en première position du classement, à ce moment-là, et je me disais qu'il devait y avoir une erreur. Ça me gênait et j'avais un peu hâte que les autres me dépassent.

Parmi les premières émissions, j'ai vu celle où les frères Fournier étaient invités. Un cirque ! Je crois toujours que c'était une erreur de les inviter comme juges à l'émission. D'autant plus qu'en début de saison, il faut réaliser que les coureurs ont besoin d'un peu de temps pour se familiariser avec la technique et le rythme de la Course. On est très incertains en produisant nos premiers films, qu'on envoie souvent avec appréhension, tellement on a peur des réactions qu'ils produiront.

Je me suis demandé si l'émission existait vraiment, vu le décalage (cinq semaines) qu'il y a entre l'envoi de nos premiers films et le début de l'émission. Ce sont cinq semaines d'innocence pendant la Course. J'aurais préféré ne pas entendre parler de l'émission pendant mon périple. De toute façon, la différence entre ce que l'on vit pendant une semaine et ce qui est vu à la télévision est tellement grande qu'il n'y a plus de rapport entre les deux.

1

2

3

❶ Sophie Bolduc
Dans la cour de la famille de Baba Ashi, Ségou, Mali, décembre 1992. Vivre pendant une semaine au rythme de l'Afrique, à laisser filer les heures, à manger du millet, à rire, à placoter, à filmer... parce qu'il le faut bien !

❷ Violaine Gagnon
Nuwara Elya, Sri Lanka, bastion du meilleur thé au monde. Les femmes tamoules, qu'on emploie dans les plantations, ont toujours un sourire généreux à vous offrir.

❸ Violaine Gagnon
Pêcheurs aux bâtons, Hikkaduwa, Sri Lanka.

1

➊ Marc Roberge
Phillipe-le-généreux trônant sur une faille sans fin. J'ai pu obtenir audience auprès de cette légende en devenir. Nous avons discuté du silence et... le bruit nous a plu.

➋ Patrick Demers
Niamey, Niger. Nafisétou, fille de la ville et de Mahamoud, Touareg, fils du désert et gardien d'une porte.

2

Justement, parle-nous de ce que tu as vécu. Ton voyage en Mongolie intérieure a été toute une expédition. Tu y as passé deux semaines avec une personne qui ne parlait ni français, ni anglais. Vous deviez communiquer par signes. C'est ce qui a donné ton très beau film, *Passage*, sans aucune parole. Comment se sent-on lorsque, pendant six mois, on ne peut à peu près jamais parlé à quelqu'un dans sa propre langue?

Mon film *Passage* n'a effectivement aucune parole, que de la musique, pour deux raisons. La première est, bien évidemment, le fait que je ne pouvais pas communiquer avec les gens par la parole. La deuxième est peut-être moins poétique puisque c'est dû au fait que mon micro-caméra était arraché et ne fonctionnait pas. Pendant la Course, certains pépins techniques arrivent, comme celui-là, et tu dois te débrouiller.

Le fait de ne pas pouvoir parler aux gens, durant les cinq semaines que j'ai passées en Chine, m'a presque rendu autistique. Je me sentais vraiment isolé. Les 600 kilomètres que j'ai parcourus en jeep pour me rendre en Mongolie et le retour en train et autobus, ont été faits dans le silence, puisque les deux personnes avec qui j'étais ne parlaient ni français, ni anglais. En Mongolie, j'ai habité quelque temps chez une Mongole qui faisait tout pour moi: mon lavage, ma bouffe; toujours à mes petits soins. On ne communiquait que par signes. Il n'y avait pas de problèmes pour les choses courantes, telles que manger, boire, dormir, mais lorsque je voulais envoyer une lettre ou faire un téléphone à frais virés au Canada, par exemple, ça devenait... plus compliqué. Parfois, je trouvais des gens qui parlaient un peu anglais. Mais cela ne m'aidait pas vraiment car les Chinois diront rarement qu'ils ne comprennent pas ce que tu leur dis. Je pouvais expliquer quelque chose pendant une heure et finir par me rendre compte que la personne n'avait rien compris, même si elle avait signe que oui, durant toute la conversation.

Pendant la Course, tu finis par te retrouver souvent dans ta bulle. Tu es seul avec toi-même et souvent tu dois te satisfaire du peu de communication que tu réussis à avoir avec les gens. Les conversations sont sûrement l'une des choses qui m'ont le plus manqué.

Tu as réussi à filmer et à échapper à un attentat à Niamey, lors d'une attaque d'une bande armée de Touaregs. Lorsqu'on frôle la mort de si près, la Course ne prend-elle pas un tout autre sens?

Ce film-là, c'est trois secondes d'inconscience (le temps que je prenne la décision de filmer) et trois heures passées en dessous du camion. L'endroit était exposé mais c'était de là que je pouvais le mieux filmer. Sur le coup, je dois avouer que je n'ai pas vraiment pensé à la mort. Les premières minutes, je me demandais si cela allait durer, puis c'était enrageant parce qu'effectivement ça durait. Je ne voyais pas qui tirait, ni d'où les balles venaient. C'est devenu trop gros, incontrôlable. Je savais que je ne pouvais pas me lever pour aller me cacher. Je ne pouvais, non plus, dire: « Bon, c'est fini. J'arrête de filmer. » S'ils avaient investi les lieux, je ne sais pas ce qui serait arrivé.

Après, je n'ai pas vraiment eu le temps de réfléchir sur l'utilité de la Course par rapport à ce que je venais de vivre. Le rythme de la Course ne te permet pas de prendre le temps d'analyser froidement ce qui t'arrive. J'ai monté le film un peu comme un cri du cœur car je n'avais pas eu le temps d'absorber tout cela. Le commentaire a été enregistré à trois ou quatre heures du matin, juste avant de prendre l'avion pour Nouakchott. Par la suite, je suis embarqué dans un autre sujet, sans avoir pu absorber ou comprendre ce qui s'était produit à Niamey. Le film suivant que j'ai tourné, *Terre, Terre*, est peut-être, maintenant que j'y repense, une sorte « d'exorcisme » à ce que je venais de vivre. Une phrase de ce film, fait sûrement référence au Niger: « Je suis vivant, certes... », mais je n'en étais pas conscient à ce moment-là.

Je n'avais pas le choix de faire ou non ce film, ni ceux de Palestine, mais après j'ai préféré me tourner vers les films introspectifs. Ceux-ci ont, malheureusement, moins bien marché mais me permettaient plus de liberté. Ces derniers films – et les premiers – sont plus proches de moi.

Est-ce que c'est le moment le plus difficile que tu as vécu pendant la Course?

Le fond, c'est plutôt lors de mes premiers jours à Nouakchott que je l'ai atteint. Je venais de quitter le Niger, où j'avais vécu une expérience assez intense. J'étais très fatigué. En plus, Nouakchott est peut-être la capitale la moins séduisante, c'est pittoresque mais sale. Je recevais des nouvelles décevantes de l'émission où mes films du Moyen-Orient avaient été mal reçus. Les commentaires des juges m'ont vraiment blessé. Je trouvais que leurs critiques n'avaient rien à voir avec la réalité dans laquelle il nous fallait produire les films. Une réalité qu'ils comprennent aussi peu que moi. Tout allait mal et j'en avais marre. C'était dur.

Le plus enrichissant ?

J'étais invité chez un diplomate, à Amman, et leur jeune fille, une fan de la Course, s'est approchée timidement, sa mère me demandant si celle-ci pouvait me poser des questions. Bien sûr que oui ! Elle a alors sorti un petit bout de papier sur lequel elle les avait écrites. En me les posant, elle me fixait avec ses grands yeux et moi, j'étais touché par tant d'intérêt.

La façon d'être et de vivre continuellement avec soi pendant la Course est aussi très enrichissante. Il y a plein de situations où tu dois et réussis à te démerder rapidement pendant ce voyage. C'est très rassurant de savoir que je suis capable de trouver des solutions à diverses situations, du dédale administratif au vrai merdier. Le fait d'être aller, par exemple, en Asie, en Afrique, etc., m'a démontré qu'il n'y a plus de barrières. Mais cela ne veut pas dire que la peur et l'inquiétude m'ont quitté.

Pour sortir tes cassettes de Saigon, tu as dû les cacher dans tes sous-vêtements. La censure, est-ce un gros problème pendant la Course ?

J'ai dissimulé quelques fois mes cassettes de cette façon, pour éviter des tracasseries administratives avec les ministères de la censure. Si tu leur soumets tes films, ils les garderont peut-être une semaine, juste pour la forme, car tu sais très bien qu'ils ne sont pas équipés pour les visionner. Mais tu ne peux te permettre de perdre ce temps précieux.

Je n'ai pas eu de gros problèmes avec la censure car je réussissais toujours – étonnamment ! – à sortir mes films sans trop de difficultés. Il faut dire que lorsque je le veux, je peux vraiment avoir un air irréprochable. Je me souviens d'une fois, par exemple, où j'étais à un poste de douane de Gaza. Je suis arrivé avec mon petit passeport canadien et lorsque le soldat m'a demandé ce que j'avais été faire là-bas, je lui ai dit que j'étais allé voir un ami et il m'a cru ! Il fallait le faire, à Gaza !

La seule censure dont j'ai été victime, c'est ici-même, de la part de la direction de Radio-Canada, pour mon film *Les Enfants de l'Intifada.*

1

2

❶ Devant la mosquée de **Kachgar**. On y respire les arômes de la Perse et du haut des minarets de cette Rome d'Asie, on y entend les appels de l'islam.

❷ **Niger.** L'ombre de la guerre civile sur le mur d'enceinte de la résidence attaquée par les Touaregs, irrigant de sang le désert au nom de leur aliénation. Mais qui leur vend donc des armes ?

3

❸ À la croisée des siècles et des cultures, un membre d'une des nombreuses communautés culturelles qui perpétuent, à **Kachgar**, la tradition commerçante de la route de la soie.

❹ Au sud-ouest de Delhi, dans la province du **Rajasthan,** Balaji est un rendez-vous spirituel à des siècles de distance de l'Occident. Dans les temples, on y pratique l'exorcisme des esprits décédés venus tourmenter les vivants.

4

Dans une des entrevues que j'ai réalisées pour ce film, un des enfants, à qui j'ai laissé l'entière liberté du point de vue de ses réponses, disait qu'il n'était pas très enthousiaste quant aux nouvelles négociations, puisqu'avant la venue de Rabin, le nouveau premier ministre, il pouvait jouer dehors jusqu'à neuf heures et que maintenant le couvre-feu était imposé à sept heures. Il traitait Rabin, pour cette raison, de chien sale. À Radio-Canada, on a effacé cet extrait d'interview, en prétextant qu'on ne pouvait pas traiter publiquement un chef d'État d'un tel qualificatif. J'aurais peut-être été d'accord si c'était moi qui avais dit ça, puisque j'aurais alors posé un jugement très subjectif. Mais ce n'était pas le cas, c'était l'opinion d'un enfant qui exprimait ce qu'il ressentait face à la situation qu'il vivait. J'ai toujours beaucoup de difficultés à accepter ça. Je trouve ça extrêmement dangereux, et sans crier à la censure, je me demande jusqu'où cela peut aller dans les informations qu'on nous transmet via le télévision.

Tu as eu un coup de cœur pour le Viêt-nam. Si tu pouvais retourner faire un film, n'importe où, sur n'importe quel sujet, serait-ce au Viêt-nam et sur quel sujet?

C'est vrai que j'ai adoré le Viêt-nam pour plusieurs raisons. Après mon séjour en Chine, où je ne pouvais pas facilement communiquer avec les gens, mon arrivée à Hanoi (une fois les douanes passées!) a été un soulagement. J'avais à ce moment comparé mes cinq semaines en Chine à un voyage sur une route un peu cahoteuse, alors qu'au Viêt-nam, j'avais l'impression, en comparaison, de rouler sur une route pavée. Mais il est tout de même très ardu de voyager où l'on veut au Viêt-nam. Hanoi est une ville superbe, avec des vélos, des lacs et sans gratte-ciel. Le matin, j'allais prendre le petit déjeuner dans un café, qui n'a pas dû changer depuis les années 50. J'y mangeais une petite madeleine et du pain français, accompagnés d'un café au lait. J'avais l'impression de me trouver dans une petite ville du sud de la France. Le contact avec les gens était aussi plus facile à établir. Je souriais et la plupart d'entre eux me répondaient de la même façon. Quelques personnes plus âgées sont venues me voir en me demandant, avec une extrême politesse, si elles pouvaient pratiquer leur français avec moi. Le pays n'est ouvert que depuis 2 ou 3 ans, après 15 ans de régime communiste. Les gens peuvent enfin parler un peu plus librement aux étrangers. Ils font preuve d'une simplicité et d'une douceur de vivre qui m'ont vraiment séduit.

J'ai aussi aimé le désert de Mauritanie pour l'absolu, le silence et la démesure. Je me suis promené en jeep, avec deux guides, dans des dunes absolument incroyables du Sahara. Nous avions probablement l'air de trois petits garçons. En jeep, nous sautions dans les dunes, nous prenions dans le sable, devions descendre et pousser la jeep, afin de pouvoir repartir. Lors d'un voyage dans la partie plus sahélienne de la Mauritanie, nous nous arrêtions prendre le thé à la menthe (ou le couscous à la viande de chameau!), en savourant, et le désert, et le temps requis (deux heures) pour prendre les trois verres traditionnels. Les Mauritaniens possèdent le temps. Leur rythme de vie est très lent et toute cette langueur m'a beaucoup plu.

J'aimerais bien retourner filmer en Asie centrale: à Kachgar, dans le nord du Pakistan, etc. C'est l'avenir, ce coin du monde. C'est un point de rencontre entre plusieurs cultures, anciennement la route de la soie, où l'on troquait de la laque et de l'encens pour des épices et du camphre. On a toujours l'impression d'y vivre hors du temps. Aujourd'hui, ce sont des Russes qui arrivent à ce marché avec des pacotilles, des Pakistanais avec des tapis et des Chinois avec autre chose. Le commerce y existe toujours, mais ce qui est plus important pour moi, c'est cette ambiance de rencontre des cultures qui s'y dégage. J'espère pouvoir y retourner avant que tout ça ne s'effronde. En raison de ce qui se passe dans l'ancienne Russie, au Pakistan et en Chine, cette région est devenue une vraie poudrière.

Parmi les 20 films que tu as produits, lequel considères-tu comme le plus important?

C'est très difficile de répondre à cette question. En réalité, je dirais que je n'aime pas beaucoup mes films. J'aurais voulu faire chacun d'eux différemment. *Terre, Terre* est peut-être celui qui se rapproche le plus de ce que je voulais faire. J'ai beaucoup voyagé, en peu de temps, pour trouver un lieu de tournage et les éléments du film. C'est un délire, un fantasme. Tamchaket est une des premières fortifications construites par les soldats français qui voulaient coloniser la Mauritanie. J'y ai pris le thé avec des nomades sous la tente. J'ai été complètement ensorcelé par cette atmosphère. Je voulais faire un film sur la Mauritanie profonde. J'avais trouvé un livre de Saint-Exupéry à Nouakchott. Il pouvait parler mieux que moi du désert. Pour revenir à Nouakchott, j'ai pris la route de L'Espoir: 800 kilomètres à travers le désert, où j'ai continué à tourner des plans (avant que ma quatrième caméra ne flanche!). C'était un film compliqué à faire techniquement, pour moi, afin d'arriver à combiner les images, le son et la voix. Tout y est calculé. C'était, pour moi, une petite réussite. C'est un film qui parle aussi de la Course, une métaphore de mon voyage. C'est un film très personnel, peut-être trop personnel...

Tu étudies pour devenir médecin. Ce périple de 182 jours, que tu viens de terminer, a-t-il changé ta façon d'envisager l'exercice de ta future profession?

La transition entre la liberté totale que m'a procurée la Course, mon terrain de jeux y était le monde, et la rigidité du cadre dans lequel je devrai entrer pour faire mes stages en milieu médical est très pénible. Si je décide de continuer et de terminer mes études, ce sera pour éventuellement aller à l'extérieur du Québec, dans un pays en voie de développement. Je pense à mon expérience au Niger, où j'ai pu soigner les gens après l'attentat. Je distribuais mes Tylenol et je sentais que la pilule qu'ils prenaient c'était l'espoir. Alors, pour un temps, j'aimerais sûrement faire de la médecine dans des zones de crise.

Cela peut sembler étrange, mais la Course se rapproche de la médecine. Lorsque tu reçois un patient dans ton cabinet, tu dois entrer très rapidement dans l'intimité de cette personne, afin d'en arriver à un diagnostic, cela se fait par le dialogue. Pendant la Course, j'ai dû aussi entrer dans l'intimité des gens, très rapidement et, de la même façon, par le biais d'une conversation. La seule chose qui diffère vraiment, c'est la fin. En médecine, c'est l'administration d'un traitement en vue de guérir le patient. En documentaire, je ne sais pas. Peut-être est-ce la réflexion qui nous permettra une plus grande ouverture aux différents peuples qui nous entourent.

Il y a aussi un aspect très prosaïque qui fait que je terminerai mes études: le remboursement de la dette que j'ai accumulée jusqu'à maintenant. Ce n'est qu'en faisant ma médecine que je pourrai la rembourser.

C'est sûr que j'aurai envie de cumuler ma pratique de médecin avec une autre profession, peut-être en communication, car le côté créatif manque totalement aux études médicales. J'aimerais bien pouvoir diviser mon temps en six mois de médecine et six mois de création. Je sais que ça risque de ne pas être très facile...

La maladresse et la passion

La Paz, 21 février, la fin d'une semaine horrible. Dernier avion.

Montréal, 22 février, la douanière ne croit pas que je ramène si peu de souvenirs, je pousse le carrousel, la porte va s'ouvrir, parents, amis, il y a des fleurs, -15 °C.

Quand on a fait le rêve de sa vie, quand on a l'impression d'avoir un peu mal rêvé, on pédale beaucoup pour en trouver un autre... La Course, c'est à la fois si peu, mais c'est déjà beaucoup trop pour une seule personne.

Pour une théorie du village global...

Shanghai, 16 août 1992. Vingt heures d'avion ; une nuit à Hong Kong. Le débarcadère de l'aéroport. Une foule. Minuit et demi, nous sommes dimanche. Et je n'ai pas d'argent... Tout est fermé, personne ne parle anglais ou français. Bienvenue en Chine communiste, je jette un regard dans *Lonely Planet*; je saute dans un taxi. Premier hôtel fermé pour cause de rénovation. Le deuxième est plein, le troisième aussi. Le quatrième est cher et je n'ai pas d'argent. On se penche à la fenêtre, « *Wanna change money*? » Je n'ai pas la moindre idée du taux de change, mon chauffeur de taxi s'impatiente. « OK. » Bienvenue la Course...

Il n'y a plus d'endroits inaccessibles, le village global réduit à la dimension d'un terrain de jeux, celui de mon imagination, à l'altitude de croisière de 33 000 pieds au-dessus de la réalité. Je me souviens d'avoir demander à Sophie alors que nous étions à Delhi, alors qu'Air India venait de foutre en l'air mes projets de voyage sur le toit du monde : « Est-ce que je devrais aller au Bangladesh, au Pakistan ou à Beyrouth ? » « *Good morning, this is Gulf Air.* » Hésitation. « *Have you got any flight for the Middle East? Beyrouth? When?* » Hésitation. « OK. » La Course ne nous laisse d'autres choix que de vivre avec ce qu'on décide, avec le regret, avec la déception, avec l'émerveillement. C'est un compromis entre le délire du mégalomane et les limites du village.

Mongolie intérieure, les steppes, septembre 1992. La jeep s'arrête. Après une journée et demie, après deux heures à toute vitesse dans les herbes. Il fait silence, les phares éclairent la nuit. Nous nous sommes égarés. Nous sommes perdus au milieu du globe terrestre...

Kachgar, milieu de la nuit, lumières blafardes aux façades des maisons, une lune au-dessus d'un minaret, aboiements de chiens, je marche en croisant des ombres, celles des charrettes tirées par des ânes, qui commencent à affluer au marché, chargées de récoltes, d'une redingote coiffée d'une barbe et d'un curieux chapeau. Je saurai quand le jour se lèvera, que la lune qui m'éclaire, n'est pas la même que celle qui brille chez moi... Kachgar.

Balaji, état du Rajasthan. Un peu plus tard... Dans le village, une seule rue, bordée d'épiciers de la foi. On entend le leitmotiv troublant d'une section de percussion, nuit et jour. En face, un autre temple et l'assourdissante cérémonie à la montée de la nuit. Des femmes en transe. Un homme rampant sur le sol. L'électricité. L'électricité manque et à la lueur du feu, des ombres en transe...

Fuck le village global.

Le centre du monde...

Hanoi, l'après-midi, septembre, je crois. Je me suis engueulé avec les douaniers à l'aéroport, j'ai gagné mon point, non mais... Je dépose mes sacs dans ma chambre climatisée. Je suis seul, seul, seul. Nouveau pays, l'insécurité. Jean-Louis m'a suggéré de mieux choisir mes sujets, rien ne va, j'ai pourtant l'impression de tout donner. Rien ne va et je suis premier. La Course commence...

La solitude. J'ai toujours aimé être seul. J'ai aimé la Course pour m'être trouvé si souvent seul, pour avoir vécu dans ma bulle si loin des agressions coutumières. Quasiment trop loin, parfois, pour pouvoir communiquer. Dans la Course, dans la réalité de la Course, « t'es »... simplement « t'es ». Le Moi sur la « mappe », le centre du monde. En ligne directe avec l'abîme, le grand trou noir, avec la voie lactée, avec la supernova. Une comète en équilibre sur un fil de fer... tendue sur la crédulité. Tomberas, tomberas pas, mais tu ne peux jamais te demander d'aller voir plus loin si tu y es. Simplement, « t'es ». Point.

La confiance. J'ai eu, avant de partir, une discussion sur la confiance avec Jean-Louis. Il s'étonnait de voir chaque année des jeunes avec tant de confiance, je crois qu'il parlait d'une confiance envers les gens, envers le monde. Toute cette Course, j'ai fait confiance, j'ai fait confiance au chauffeur de taxi, perdu dans la banlieue sud de Beyrouth ; j'ai fait confiance à ma traductrice au Viêt-nam ; j'ai fait confiance à celui qui m'a vendu un billet de bus pour Balaji ; au chauffeur de taxi-brousse qui m'a refilé à un collègue au milieu de la nuit, au Bénin, pour finir la route. J'ai fait confiance aux soldats, au Niger. Je me suis fait confiance.

Maintenant, je ne sais plus, la confiance... il n'y a plus le miroir de la solitude. Chercher des marques d'appréciation, c'est combler la confiance qui manque en soi. Aujourd'hui, il reste un manque, un désir, un peu d'amertume... Une infâme candeur. Ne reste plus qu'à rebâtir.

Réflexions sur l'inclinaison de la terre

Jérusalem. La date n'est pas importante. Au téléphone, des nouvelles d'un film de Beyrouth. Les cons.

C'était là. Je me suis senti bousculé, je n'ai pas de rancune. Mais c'est un jeu dangeureux... J'ai vu des gens aller faire leur marché, on entendait des coups de feu. J'ai eu la gorge sèche, le cœur en chamade, les yeux irrités par le gaz lacrymogène, la peur de ma vie quand une grenade a explosé de l'autre côté de la porte (les Palestiniens avec moi, morts de rire), peur d'être pris et de voir saisir mes cassettes. J'ai couru dans les allées des camps, une porte s'ouvre, on entre et on attend que la jeep s'éloigne. J'ai eu tout un *thrill.* Et il y a des gens qui le vivent toute leur vie, depuis 45 ans et depuis bien moins longtemps. Chez moi, on s'en fout, et vous me demandez de rester objectif. La vie, je crois, commence par aller faire son marché. On vous montre la vie telle qu'on la trouve, avec maladresse et passion. Bien maladroitement, bien sûr, mais on ne s'attend pas à entendre en retour des inepties. Quand le quotidien est la seule survie, je m'attendais à un peu plus de pudeur... comme une gêne dans le regard, la tête inclinée...

Beyrouth. Banlieue-sud. Paraît qu'il fallait pas se perdre là. J'étais perdu. J'étais en retard et mon chauffeur de taxi ne savait pas où il allait ; en plus il gueulait (en arabe) que je lui faisais faire une course plus longue que prévue. Arrêt devant un immeuble bien gardé. Dans le hall, on m'enlève mes sacs avec tout l'équipement. On me fouille. Dans l'ascenseur, j'ai le canon d'une M-16 à 30 centimètres du visage. Je me demande ce que je fais là et où on s'en va. Pièce avec des hommes assis, fauteuils et cigarettes ; enfin quelqu'un qui parle anglais pour... arbitrer la dispute et nous indiquer le chemin. Rigolo quand même... Nous retrouvons la maison de l'ex-ministre qui me prêtait deux gardes du corps et sa Mercedes 500. Sur la banquette avant, il y a une Kalashnikov... Monsieur, est-ce bien nécessaire pour aller filmer des ruines ? Faisait beau...

Le monde est tout croche.

Parenthèse... la lorgnette de la distance

Mon plus grand choc culturel ? Jérusalem-Ouest, après trois mois en Asie, une dizaine de jours dans les maisons humides et froides de Palestine, un soir de cinéma, dans un café branché qui aurait pu être rue Saint-Laurent... La question que je me pose n'est pas : qu'est-ce que le Tiers-Monde n'a pas que nous avons, mais plutôt qu'est-ce que nous avons de trop qui nous rend malheureux ? Simple, mais, bon... Quand on n'a d'autre richesse que le temps qu'on a à défendre... En Palestine, j'ajouterais la dignité. Chez nous, peut-être, qu'on n'a ni temps ni dignité, mais beaucoup de richesses naturelles...

Si loin, le Québec est petit, petit ; morbide, il s'agit de regarder la presse en général ; nombriliste, c'est bien on se consomme, mais on se classe parmi les peuples les plus dénués d'intérêts pour le reste du monde. Paradoxalement, si le Québec est une société très affluente, si le Québécois moyen vit dans un confort matériel démesuré, je nous trouve... culturellement défavorisé. Le culte du néon, du *fast-food* culturel, les enfants gavés de Nintendo, etc. Ajoutez l'efficacité, la société judiciarisée. Tournez la lorgnette de bord, du côté grossissant... Et demandez-vous pourquoi on n'a pas le sourire facile. La grande leçon du voyage ? Le monde est corrompu. Bien, c'est pas nouveau, mais de façon si généralisée, ça choque un peu. L'avantage ici, sur l'Afrique par exemple, c'est que la corruption, on la réinvestit dans l'économie du pays. On est tellement plus évolué.

Et puis, si j'ajoutais un petit commentaire esthétique, je dirais qu'il n'y a pas d'endroit plus laid au monde que... le boulevard Taschereau. Et tous les boulevards Taschereau de la province me donne envie de décamper... juste pour retourner la lorgnette.

Pour retrouver le hasard, pour un peu de beauté...

Le bout du monde... l'écran vide

Paris, deux nuits presque blanches dans les studios de Radio-Canada à monter *Les Enfants de l'Intifada.* Je pars furtivement, sans avoir fini, en essayant de ne pas accrocher les guirlandes de Noël accrochées à la ville. Ma tête vacille. Ma tête vacille, et quand je la relève, il y a la route, il y a la brousse, il y a la chaleur, il y a le silence de fin d'après-midi... Ma tête vacille, et quand je la relève, je suis en Afrique. L'Afrique est habitée par la chaleur des gens. On raconte que l'Afrique sombre. Pour moi, l'Afrique devrait exporter son petit côté chaotique ; j'en achèterais une part, je vivrais moins stressé.

Vingt-cinq décembre 1992. Joyeux Noël quand même. Des milliers et des milliers de bonnets blancs de cuisinier, des toges toutes aussi blanches, des milliers de pieds nus, foulant le sable des petites chapelles faites d'une clôture, d'une croix plantée et d'une foi à toucher la voûte céleste, des kiosques où on vendait des icônes, des oranges et du parfum... pour attirer les anges ! Sous les néons blancs, la messe de minuit, les lumières clignotantes au-dessus de l'hôtel, les fusils automatiques des militaires... Elle a duré au moins trois heures. Pour la communion, on donnait de petits cubes de sucre et du jus d'orange... en échange d'un coupon. Pour la musique, il y avait un *band.* Pour le reste, tout le monde dormait après une heure. À l'aube, mes films se sont noyés dans le golfe de Guinée, ma caméra : une ruine. J'étais au bout du monde, mais l'écran du moniteur était vide...

Alors j'ai eu peur que vous ne voyiez jamais la Course que je faisais, que celle que vous voyiez n'ait rien à voir avec celle que je vivais. Qu'un tel délire, qu'une telle vision, ne sortent jamais de ma tête, car il y a dans les petits quatre minutes que l'on emballe, ficelle et livre chaque semaine tellement peu de la démesure, des efforts, de la fatigue, des revirements, des échecs... On croirait parfois qu'il n'y a que quelques blasés qui ont tout vu, qui ont tout su, et à qui on apprendra rien de toute façon.

Épilogue. Samedi matin, 25 décembre, téléphone à Montréal (j'ai besoin d'une nouvelle caméra !!!), puis sur la mobylette d'un caméraman pigiste de la télévision du coin, rencontré complètement par hasard, je fais toutes les boutiques de la ville pour trouver une nouvelle caméra. Croyez-le ou non, on en a trouvé une ; croyez-le ou non, ce que j'avais perdu était irrécupérable... Tellement peu de ressemblances... Comme sur un écran vide.

Désertification... Le point zéro du mécanisme

Trois secondes d'inconscience, trois heures en-dessous d'un camion.

Je me suis trouvé lâche après les événements du Niger. Je n'avais pas le dixième de ce que c'était... J'aurais dû pousser l'audace un peu plus loin ; j'étais si proche de la limite. La limite que ceux qui vivent de ce métier franchissent parfois sans s'en douter, pour une image évanescente. Mais ce qu'il y a de plus étonnant dans toutes ces situations d'affrontements armés, c'est qu'on y survit, c'est qu'en dépit des balles qui sifflent, les gens continuent à vivre dans l'inconscient béat du quotidien qui se répète. C'est comme si la vie parfois était plus résistante que le plomb des balles. Une tache que l'on arriverait pas à faire disparaître...

Nouakchott... 29 000 pieds dans les airs. Il y a de ces vues du hublot d'un avion : Amman, la nuit, la Cordillière des Andes. Il y aussi de ces illusions... Au-dessus de la Mauritanie, je suis victime d'un mirage, le désert s'est élevé et couvre la ville d'un fin duvet. Le Niger est derrière. Vidé de ma mémoire, j'espérais, entre trois et cinq heures du matin. Mais l'avion plonge et je m'écrase à nouveau, brutalement, déchiqueté, mon âme mise à nue, gisant au milieu des ordures qui pavent les rues de la capitale. Il y a eu comme un bris, une panne dans le moteur et personne au milieu du désert à qui demander de me dessiner un mouton. Pas même un marchand d'illusions. Et « l'innocence perdue » de ces enfants de Palestine était peut-être devenue la mienne. Le Moyen-Orient m'obstruait la vue et je ne pouvais plus voir. Je m'étonnais aussi que l'on ait si peu vu. Ne restait plus que le temps qui fuyait...

« Avec le temps
Avec le temps tout va, tout s'en va
L'autre qu'on devinait
Au détour d'un regard
Entre les mots, entre les lignes... »

(Léo Ferré)

Le temps dans cette Course qu'on a pas pour comprendre, le temps sur qui on compte pour oublier.

Le temps qu'on a pas pour le troisième thé. Le thé sucré comme l'amour. On se contente du premier, amer comme la mort, et du suivant, doux comme la vie. On respire la langueur d'un soir au Sahara ; on est pressé de repartir. On laisse derrière des regrets infidèles. L'ardeur d'un souvenir.

« Avec le temps tout s'évanouit... » (Léo Ferré)

En guise de conclusion... la théorie de l'inclinaison naturelle

La terre est ronde, c'est bien connu. Je n'ai pas de problèmes avec ça. Mais il est faux de dire que si l'on voyage toujours dans une même direction, dans la direction de la rotation ou à l'inverse, l'on revient au même endroit. C'est pas vrai. D'abord, on ne peut rester géostationnaire en rapport avec la terre, parce que le monde ne tourne pas également à la même vitesse, à tous les endroits. Forcément donc, on se déplace. Mais... Mais on revient légèrement déphasé par rapport à l'endroit d'où l'on est parti. On se déplace, oui, mais légèrement, très légèrement. Au retour, certes, on a l'impression de revenir sur une autre planète. C'est dû probablement à la rotation trop rapide, à l'ivresse du mouvement. C'est un effet qui s'estompe. La terre est ronde, c'est bien connu, mais quand on revient, on se rend compte qu'elle a pas beaucoup bougé. Et quand on revient, on se rend compte qu'on recommence à tourner à la même vitesse... Légèrement déphasé... Oh, très légèrement.

Ce matin, je suis allé au marché m'acheter un ananas. Dans la rue, il n'y a pas de doute. Il y a plutôt comme un vertige à tourner. J'ai la nausée du retour.

J'ai mangé mon ananas à toute vitesse...

J'ai la propension au mouvement.

Pierre Deslandes

PHILIPPE **FALARDEAU**

Moi, mes lunettes ont beaucoup voyagé. Dans un monde qui privilégie la spécialisation, on active rarement toutes nos facultés en même temps. Au risque de ne jamais découvrir toutes les nuances qui dorment en nous. Selon moi, la Course a cette rare qualité de pouvoir révéler un « moi » global.

Philippe, tu as commencé ta Course en Amérique latine. Tu avais l'impression de te trouver dans l'univers des arnaqueurs, dont tu étais le rêve. « Je tombe dans tous les pièges. Mes lunettes ne m'aident pas, j'ai l'air d'un vrai con. Tout le monde me sautent dessus. » Comment as-tu réussi à déjouer tous les arnaqueurs au fil des mois ?

Ils me sentaient arriver, effectivement, se tapaient des coudes en m'apercevant, j'étais vraiment le rêve des arnaqueurs. C'est un phénomène que tu trouves dans toutes les grandes villes. Il y aura toujours 15 chauffeurs de taxi qui t'attendront à la sortie de l'aéroport pour te donner la randonnée de ta vie où tu tourneras en tire-bouchon pendant des heures. Ils te demanderont aussi si tu as un hôtel, pour finir par te dire que celui-là est complet mais qu'ils en connaissent un autre qui, évidemment, te coûteras deux fois plus cher que ce que tu avais prévu payer. Au début, je ne voulais pas vexer les gens, j'avais aussi un peu peur, donc je me laissais avoir en me disant que c'était la dernière fois. Malheureusement, je tombais toujours dans le panneau.

J'ai fini par comprendre qu'il fallait que je sois plus direct avec ces arnaqueurs, sans être bête, je leur répondais avec une pointe d'humour. Par exemple, lorsque j'arrivais dans un aéroport en Afrique, il y avait toujours quelqu'un qui m'abordait en me disant : « Bonjour, comment t'appelles-tu ? », « Philippe. », « Philippe, on est amis, hein ? », « Oui, oui, sûrement (je le voyais pour la première fois de ma vie !). » Puis, il sautait sur mes valises, sans que je le lui demande. Je lui disais que j'étais jeune et capable de les porter tout seul. « Je ne veux que t'aider. » Je lui répondais que je n'avais pas d'objections à ce qu'il m'aide, s'il me demandait, d'abord, la permission. À la fin, il finissait par me réclamer mon adresse, « pour m'écrire », alors que je savais très bien que c'était pour avoir un visa pour l'Amérique. Bon, en fin de compte, c'était drôle.

J'ai fini par me convaincre que la meilleure façon de savoir comment ça fonctionnait dans un pays (le coût d'un taxi de l'aéroport au centre-ville, d'un hôtel, d'un guide, etc.), c'était de me faire avoir une première fois, et qu'ensuite je serais plus alerte pour le reste de mon séjour.

Tu voulais participer à la Course car tu considérais que rares étaient les occasions comme celle-ci qui cimentent nos expériences tout en moussant nos facultés à l'aube de l'éveil. Est-ce comme ça que tu as vécu ta Course?

C'était poétique, hein? Ça fait très « joie, épanouissement et allégresse » comme phrase. Disons que ça n'a pas été tout à fait ça. J'ai désenchanté assez rapidement. Dit crûment, la Course, c'est 70 % de logistique; bien entendu l'autre 30 %, c'est la liberté complète de dire et de faire ce que tu veux ou presque. Rares sont les émissions qui procurent ce genre de licence.

Quand j'ai écrit ça, j'avais en tête une espèce de recherche spirituelle, dans le sens où notre génération ne croit plus au Dieu personnalisé qu'on nous a enseigné mais plutôt à une espèce d'énergie qu'on porte en nous. Il y avait aussi le problème que j'éprouve face à la bataille que se livrent en moi le rationnel et les émotions. J'en ai d'ailleurs fait une relâche en Colombie: *Tête à cœur.* J'avais besoin de quelque chose de fort, comme la Course, pour harmoniser mes côtés spirituel, mental, physique et émotionnel. En ce sens-là, je n'ai pas été déçu, puisque la Course m'a mis face à moi-même et le défi qu'elle m'a procuré m'a permis de faire le point.

Tout ce que j'ai appris, tout ce que j'ai emmagasiné comme expériences de travail et de vie, et toutes les qualités que je possède, pouvaient-elles être mises en relief dans l'atteinte d'un seul et même objectif? Dans un monde qui privilégie la spécialisation, on active rarement toutes nos facultés en même temps. Au risque de ne jamais découvrir toutes les nuances qui dorment en nous. Selon moi, la Course a cette rare qualité de pouvoir révéler un « moi » global.

Tu as déjà dit que, souvent, lorsque tu finissais un plan de montage, tu avais hâte d'un commencer un autre. Par contre, il y a sûrement eu des moments, au cours de ton périple, où tu te sentais incapable de produire?

Finir des plans de montage, pour moi, c'était comme terminer une œuvre. Je les signais comme on signe des tableaux. Je me suis toujours senti frustré sur le plan artistique: je n'ai pas une bonne voix, je ne joue pas d'instrument musical, je ne dessine pas. Un peu comme le person-

1

2

3

❶ Grand Bassan, **Côte d'Ivoire**. Vestige de l'époque coloniale qui n'échappe pas à l'érosion de la mémoire.

❷ Istambul, **Turquie**. Aux portes du marché aux épices à Istambul, une vieille femme gagne son pain en vendant du grain que les passants éparpillent à la joie des oiseaux.

❸ *Wash, Rinse, Dry*, Banco, **Côte d'Ivoire**. Ils sont 375 hommes roses à se partager une lagune vaseuse, à battre la lessive pour assassiner les taches qui font à leur tête.

nage de Salieri, dans le film *Amadeus*, qui disait que Dieu lui avait donné le goût de la musique mais pas de talent. Faire des plans de montage était pour moi une forme d'art, avec laquelle je pouvais enfin m'exprimer. Lorsque j'en terminais un, j'avais l'impression d'avoir accompli quelque chose d'unique et j'avais envie d'en recommencer tout de suite un autre.

Il y a eu, par contre, un moment vraiment creux, où je me suis senti incapable de produire. Pendant la Course, tu reçois des nouvelles de tes films un mois après les avoir terminés. Ce décalage faisait que j'avais l'impression de ne jamais recevoir de feed-back sur mes plans de montage. J'avais hâte de voir ce que ça donnait, de savoir si ce que je faisais était bon. En même temps, je ne voulais pas voir mes films pendant la Course, parce que je ne voulais pas changer ma façon de faire. Même si j'en étais à mes premières armes, pour ce qui est du maniement de la caméra, je savais que je m'améliorais de semaine en semaine, que j'évoluais. Après avoir terminé mon quatorzième film, je me suis senti complètement vidé. Je me disais qu'il était maintenant évident que j'étais capable de faire des films et j'aurais voulu qu'on me téléphone pour me dire que ce que j'avais fait était extraordinaire, que je pouvais rentrer et qu'on allait maintenant me payer des vacances en république Dominicaine. Je ne savais plus ce qui allait chercher les gens, surtout « packagés » comme les films le sont pour l'émission. Mon film *Quand tu me secoues, Afrique* portait spécifiquement là-dessus, c'est-à-dire le blocage en ce qui concerne les sujets et le questionnement à savoir ce qui fonctionne ou non au petit écran.

Dans ce film, justement, tu nous as présenté ta semaine de cafard. Cette semaine passée au Burundi a-t-elle été la plus pénible pour toi ?

Cette semaine passée au Burundi a été vraiment pénible, pour les raisons que je t'ai données plus tôt, mais aussi parce que c'était le temps de Noël et que de ne pas être avec les miens m'a beaucoup déprimé. Tout me semblait inintéressant et je ne voyais plus rien de ce qui m'entourait. J'étais saturé. Je me souviens d'avoir fait une dissertation philosophique, à ce moment-là, à savoir si un cerveau pouvait se vider. J'ai écrit des pages et des pages sur le sujet. Ça m'a fait capoter (je ne suis pas habitué à ce genre de réflexion) et j'ai fini par me dire que je ne pouvais pas continuer ainsi. C'est à ce moment que j'ai rencontré le Zaïrois de mon film, qui m'a donné un coup de pied dans le derrière sans le savoir, tellement je trouvais que ce que je vivais ce n'était pas la mer à boire à comparer à ce que lui vivait. Ma rencontre avec cet homme m'a permis d'écraser mes propres cafards pour faire place à ceux des autres qui, eux, sont vraiment sérieux.

Je ne sais si cette semaine a été la plus difficile pour moi pendant la Course. C'est, par contre, celle dont je me souviens le plus. Il faut dire qu'à toutes les semaines, il y a eu un moment où le doute s'est installé et où je me demandais si ce que je faisais était bon. Il faut avoir une force de caractère à toutes épreuves pour ne pas se questionner, lorsqu'on sait que 400 000 téléspectateurs regardent l'émission toutes les semaines. On a parfois besoin d'une petite tape dans le dos. La meilleure que j'ai pu recevoir, c'est lorsque je suis revenu au Québec et que j'ai rencontré Marc Forget, un coureur de l'année passée, qui m'a dit qu'il avait aimé mes films. Ça, c'était vraiment un très beau cadeau.

Et ta semaine la plus passionnante?

Ce serait le reste du temps. Plus spécifiquement, un des moments forts de ma Course a été celui passé en compagnie d'une communauté au Salvador qui se sortait de la guerre. J'en ai fait un film, avec cette jeune infirmière de 22 ans, enceinte, qui s'occupait du village et qui avait fait des opérations chirurgicales à l'âge de 15-16 ans. J'avais étudié le cas du Salvador en sciences politiques. Ce n'était qu'une curiosité académique pour moi à ce moment-là. Lorsque je suis arrivé sur place et que j'ai rencontré les gens, je me suis dit que tous nos cadres théoriques n'avaient rien à voir avec la réalité qu'eux vivaient quotidiennement.

La Lybie reste aussi gravée dans ma mémoire. Le désert lybien est plat comme un terrain de football, sans dunes, sans roches, pas plus que de collines ou de dépressions. Et curieusement, tout ce vide amène une sorte de plénitude d'esprit. Je m'y sentais bien. J'ai pu constater, une fois de plus, que les médias ont tendance à amplifier un phénomène. Le vrai danger, pour moi là-bas, ne venait pas des Lybiens, mais plutôt du fait de pouvoir être bombardé par des F14 américains qui auraient pu répliquer à une attaque terroriste survenue ailleurs dans le monde. Je suis allé filmer les rivières artificielles à quelques 800 kilomètres de la côte. Une histoire de fous pour y arriver. Ça me prendrait dix pages pour te la raconter. Mon exode du pays fut tout aussi excitant mais beaucoup plus expéditif. C'était un vendredi matin et mon visa expirait à minuit. J'étais à 1 200 kilomètres de la frontière. J'ai fait 600 kilomètres en jeep de Sarir jusqu'à Bengazi. Là, j'ai pris un avion jusqu'à la capitale, Tripoli. Un vol de 700 kilomètres dans un vieil appareil soviétique infesté de mouches. (Le même avion s'est écrasé, une semaine plus tard, jour pour jour, et tout le monde est mort. Faut dire que ça ne m'avait coûté que dix dollars.) Arrivé à Tripoli, il était 17 heures. De peur de me voir transformé en citrouille à minuit, j'ai pris un taxi pour aller à Tunis : 35 dollars pour 800 kilomètres. Tu vois pourquoi on appelle ça la Course !

Tu as trouvé l'Amazonie de toute beauté mais tu penses y être passé à côté d'un sujet extraordinaire. Si tu pouvais aller n'importe où pour faire un autre film, irais-tu en Amazonie et quel sujet choisirais-tu ?

Le sujet que j'aurais voulu filmer en Amazonie, c'est à Tarapoto, où se trouvent les plantations de feuilles de coca les plus importantes au monde. Celles-ci sont cultivées dans les environs de Tarapoto, puis exportées en Colombie pour être raffinées et réexportées vers le Nord. On brûle des pans entiers de l'Amazonie pour y planter la feuille de coca, dissimulée sous des bananiers. Ce sont les villageois qui y travaillent, pour gagner leur vie, sans vraiment de soutien du gouvernement. Le problème vient du fait que les jeunes villageois sont devenus excessivement dépendants à la pâte de cocaïne, qui est une substance très toxique. Les parents amènent leurs enfants chez le médecin, en lui disant que ceux-ci sont pris de la cocaïne et qu'il doit les guérir. J'ai rencontré un médecin, là-bas, qui traite ces cas de toxicomanie à l'aide d'une plante hallucinogène, qui ne crée pas de dépendance, ingurgitée au cours d'une séance de chamanisme. Les malades réussissent à exorciser physiquement et mentalement leur dépendance. Le taux de réussite est très élevé. C'est ici qu'on entre dans un cercle vicieux. Cette plante médicinale hallucinogène vient de l'Amazonie. Or, on la détruit pour pouvoir planter la feuille de coca qui crée une dépendance, qui pourrait être traitée par cette même plante médicinale. C'était un sujet en or, mais extrêmement complexe à traiter. Le temps ne m'a pas permis de l'exploiter.

En Colombie, j'aurais voulu faire un film sur la destruction de tout un écosystème unique au monde, qui vivait de la rencontre des eaux douces et salées. Ils ont construit une grande autoroute qui a coupé la jonction entre ces deux eaux. Il ne reste plus que des kilomètres de marécages absolument hallucinants. Tout ce qu'il y avait à faire, pour éviter cette catastrophe, c'était de construire sous l'autoroute des conduits qui auraient permis le mélange des deux eaux. Ils ne l'ont pas fait.

En Afrique, j'aimerais aussi retourner pour faire un long métrage sur la tante Ruth, ministre des Affaires sociales. Elle a une vie et une expérience absolument incroyables. Elle était très visuelle aussi. C'est une femme très courageuse. Lorsque je lui ai demandé si elle se décourageait parfois, elle m'a répondu que le découragement était un luxe qu'ils ne pouvaient se payer en Afrique.

J'aurais aussi aimé faire un film sans paroles. Je me suis beaucoup fié à la force des sujets pendant la Course. C'était ma force et ma faiblesse.

J'aurais voulu faire un film d'atmosphère, au Caire, avec les sons ambiants pour uniques paroles : une orgie de klaxons, de sifflets, de chants d'enfants dans les écoles accompagnés du son du tambour. Ou encore, un film sur la pluie en Tanzanie. J'envie terriblement Manuel Foglia qui a fait beaucoup de films d'atmosphère pendant la Course. Moi, je n'ai pas eu le culot d'en faire. Je m'en veux encore.

D'un autre côté, il faut éviter d'avoir des regrets. Qu'est-ce que je pourrais bien regretter ? D'avoir appris de mes erreurs ? Bien, voyons. Vivre au conditionnel ne mène nulle part, surtout pendant la Course. À force de se morfondre sur ce qu'on aurait dû faire, on risque de manquer l'énergie du moment et l'excitation de ce qui s'en vient. Au contraire, il faut abattre les « mais », égorger les « si ».

Quels films ont été les plus importants pour toi ?

Le film *Mirages*, en Lybie. Pour deux raisons : celle de toute l'aventure qu'ont été l'entrée et la sortie de la Lybie, et la deuxième parce que c'est mon film le plus artistique. On n'y voit que du béton et des machines pendant 4 minutes 30, sauf pour un ouvrier qu'on aperçoit de très loin durant 4 secondes. J'ai réussi, tout de même, à en faire quelque chose de potable.

Il y a aussi mon film en Syrie sur la censure. Mon tour de force a été de réussir à tourner cette censure contre elle-même et d'en faire, en fin de compte, un film subversif. L'arnaqué est devenu arnaqueur !

4

❹ Le Caire, **Égypte**. Karina Goma, vous vous souvenez? (La Course Europe-Asie.) Avec son sang égyptien, elle me guide dans le chaos du Caire et s'occupe des chauffeurs de taxi pas commodes. *Shoukaran.*

❺ Abidjan, **Côte d'Ivoire**. Le garçon ne verra jamais le visage du bon samaritain. L'image est forte et je n'ai pu résister.

5

Setti Zeinab, lieu de pèlerinage chiite en Syrie, a aussi été important pour moi. Je m'y suis rendu en me disant que j'allais y critiquer les religions dans mon film. Une fois sur place, j'ai vu cette humilité sur le visage des gens, je me suis rendu compte que je n'avais aucun droit d'aller leur taper sur la tête. J'ai été vraiment impressionné par leur humilité. Mes préjugés en ont pris un coup.

Tu as participé à un des derniers films de Marc Roberge, intitulé *Derniers Graffitis.* Il t'y a demandé s'il y avait un début et une fin à la Course. Tu as répondu: «Après, on devient comme des AA, il faut se revoir pour exorciser la Course.» J'ai l'impression que tu es devenu, pour les autres candidats qui te citent souvent, le chef de ce groupe de AA. C'est toi qui sembles réussir le mieux à mettre des mots sur les sensations et émotions que vous ressentez tous face à la Course. Est-ce que ça se passe effectivement comme ça?

Tu me parles du film de Marc, *Derniers Graffitis*, je crois que c'est un des films les plus sous-notés de la Course. Je me dis qu'il faut peut-être avoir fait la Course pour vraiment l'apprécier. Par exemple, à un certain moment du film, Marc parle du silence et dit que c'est une belle découverte. La Course, c'est effectivement ça, une série de silences. Je me suis amusé comme un petit fou, à faire ce film avec Marc. Nous avons fait 100 kilomètres dans le désert pour trouver l'endroit que nous cherchions. Lorsque nous sommes arrivés à cette montagne, avec un décor un peu style *road-runner*, nous savions que nous y étions. L'éclairage était extraordinaire. Nous sommes tombés sur un sofa, par hasard, que nous avons vu comme un don du ciel. Nous devions nous en servir. Nous avons placé ce décor artificiel, dans ce désert qui représentait la solitude mais, en même temps, tout ce qui pouvait nous remplir pendant la Course. La réflexion de Marc peut sembler superficielle, au départ, mais je crois qu'elle est très profonde. Je me souviens de certaines scènes que vous n'avez pas vues, puisque nous avons longuement tourné pour ne faire qu'un film de 3 minutes 30. Dans l'une d'elles, je demandais à Marc, suspendu dans le vide, de quelle couleur étaient les roches et il me répondait toujours par métaphore: «Couleur vérité, couleur-ci, couleur ça.» Je lui répondais: «Non, Marc. Pourquoi me dis-tu ça? Elles sont jaunes les roches.» Lui me disait que je ne voyais pas la réalité telle qu'elle était vraiment. Mais c'est lui qui cherchait toujours la deuxième signification derrière tout ce qui l'entourait. On y voyait bien la confrontation entre mon côté très rationnel et celui beaucoup plus émotif de Marc. Deux personnes bien différentes qui sont censées faire une même Course. La scène n'a pas été montrée, parce qu'elle était trop longue et aussi, probablement, trop chargée d'émotions.

Pour ce qui est d'être cité par les autres, tu m'apprends quelque chose! J'en suis très flatté et un peu gêné, mais moi aussi je les cite souvent: par exemple, Simon Dallaire qui dit que les plus beaux films sont ceux qu'on ne fait pas; que lorsque tu fais un film, tu as l'impression que les images, comme le sable, te coulent entre les doigts. Je cite aussi Manuel Foglia qui dit que les films que nous avons faits, finalement, ce ne sont rien d'autres que des moments précis d'une semaine. Donc, je crois que tout le monde cite tout le monde, car nous avons vécu des choses semblables durant cette Course, sur lesquelles il est extrêmement difficile de mettre des mots. Chacun à notre tour, nous réussissons, pour une situation donnée, à trouver les mots justes pour arriver à exorciser cette situation pour l'ensemble du groupe. La métaphore du groupe de AA est juste, en ce sens que c'est un groupe de croissance. Nous avons besoin de faire ce processus post-Course et de le vivre ensemble. Nous devons aussi apprendre à tourner la page et ne pas essayer de reproduire la Course dans le futur. C'était une belle expérience mais il faut maintenant passer à autre chose.

Enfin, pour paraphraser Marc Roberge, la Course aura été pour moi un moyen d'assassiner mes préjugés. C'est fou ce qu'on peut être xénophobe sans le savoir. Je me suis toujours méfié des gens qui disent: « Moi, je ne suis pas raciste », alors que je portais inconsciemment mes propres idées préconçues. Je crois que les préjugés viennent de la peur de ce qu'on ne connaît pas. Et cette peur peut nous pousser à taper sur la tête de l'autre. C'est plus facile que d'essayer de se comprendre et surtout moins compromettant. Pourtant, on a tout intérêt à fuir la complaisance et la suffisance. J'aimerais te citer un passage de mon journal. J'étais en Corse quand j'ai écrit ça, huit semaines après mon départ.

La Terre est ronde. Je le sais parce que le Vatican a déclaré, il y a quelques mois, qu'il s'était trompé au sujet de Galilée. Partout où je vais, la Lune est aussi blanche, le feu aussi chaud et l'eau aussi indispensable. Partout, les gens cherchent le bonheur. Le sourire est universel et les yeux pleurent de la même façon sous l'équateur que sous le soleil de minuit. La prochaine fois qu'il me viendra envie de juger les uns ou les autres, je me rappellerai ceci. La morale est une construction culturelle et ce que je pense n'a de l'importance que si d'autres peuvent penser différemment.

Enfin, je ne suis pas revenu avec l'idée de changer le monde mais j'aimerais bien apprendre à le connaître un peu plus.

MANUEL **FOGLIA**

J'ai le goût du risque, c'est sûr, même si la peur est toujours là, parallèle. J'ai cette propension pour me précipiter vers des choses que d'autres ne feraient pas. La leçon que j'ai reçue de la Course, c'est qu'il n'y a rien comme d'être laissé à soi-même pour vérifier jusqu'où on peut aller. J'étais à la fois charmé et défiant face à moi-même. Tout ce que je voyais devenait un miroir de moi-même, ce qui était extrêmement perturbant.

Manuel, dans ton dossier de candidature, tu écrivais que tu voulais participer à la Course pour l'aventure, le goût du risque, les limites de soi, le hasard, le rêve et surtout pour le poids de l'âme. Est-ce que ça été ça, ta Course?

L'idée de l'aventure que j'avais était celle des forêts tropicales, des voyages en pirogues, des attaques au couteau dans les ruelles sombres. Enfin, tous les mythes qu'on entretient à travers des lectures de Bob Morane ou de Conrad, par exemple. Par contre, l'aventure, je l'ai vécu beaucoup plus sur le plan des chocs culturels que j'ai eus et des interactions avec les gens que j'ai rencontrés.

Pour les limites de soi, oui, absolument. Ça commence avant même de partir, en ayant le courage de faire la Course. J'ai douté de moi tout au long du voyage: ça été ça, la limite de moi. J'y ai vécu une insécurité qui s'avérait parfois créatrice lorsque j'arrivais à la convertir en énergie positive et à la polariser. L'urgence de l'action naît de la peur pendant la Course: peur de déplaire, de ne pas réussir, de déborder des cadres, d'exagérer, de ne pas donner assez ou de donner trop. Ce voyage a aussi précisé des choses pour moi vis-à-vis de mes limites, que ce soit en tant que créateur, producteur ou artiste.

J'ai le goût du risque, c'est sûr, même si la peur est toujours là, parallèle. J'ai cette propension pour me précipiter vers des choses que d'autres ne feraient pas. La leçon que j'ai reçue de la Course, c'est qu'il n'y a rien comme d'être laissé à soi-même pour vérifier jusqu'où on peut aller. J'étais à la fois charmé et défiant face à moi-même. Tout ce que je voyais devenait un miroir de moi-même, ce qui était extrêmement perturbant.

Pour le hasard, oui. Je donne un exemple. Je devais envoyer un film par la poste, de Pékin, que j'ai décidé, à la dernière minute, de ne pas envoyer. Je n'ai envoyé que ma relâche, le film pouvait partir un peu plus tard. J'étais déjà en retard, cela ne changerait donc rien à mes points et je ne l'avais pas tout à fait terminé. Ma relâche est arrivée une semaine et demie plus tard que prévu, dans un état lamentable. La cassette était complètement écrasée et n'a pu être utilisée. C'est le hasard ou le destin qui ont fait que ce soit ma relâche qui ait été détruite plutôt que mon film.

Pour ce qui est du poids de l'âme, il n'est pas le même partout. En confrontant mes valeurs à celles des autres, je suis peut-être devenu encore plus confus qu'au départ mais, aussi, plus critique face aux valeurs de notre société et de celles des autres. Je ne prends plus rien pour du *cash*.

Avant de partir, tu considérais que, le plus important pour toi dans la vie, c'était l'équilibre et la gravité. Est-ce que six mois de Course ont changé tes priorités ?

L'équilibre et la gravité sont pour moi deux des choses les plus difficiles à atteindre. Comment le faire sans se prendre pour un gourou ? C'est en ayant le sens de l'humour mais un sens de l'humour décapant. Atteindre la gravité et l'équilibre pour moi, c'est arriver à une espèce de bonheur intérieur, entretenu par une flamme perpétuelle qui fait que tu es toujours bien assis, solide comme un roc, avec des fondations solides. La curiosité, la contradiction, la polémique et l'effort peuvent nous y mener. Pour moi, la gravité et l'équilibre partent d'un principe : celui de la mobilité. Cela peut sembler paradoxal, mais ta liberté, comme dirait Philippe Falardeau, tu la trouves dans une mobilité horizontale, c'est-à-dire par le voyage et l'ouverture à l'autre, et non dans une mobilité verticale, à gravir des échelons sociaux. Les hautes sphères ont tendance à nous faire oublier le caractère original de l'expérience humaine.

Tu as dit que le début de la Course, pour toi, avait été comme si on t'avait foutu dans un Boeing 747 en te disant : « Vas-y, pilote, t'as 400 passagers à bord. » Cela a été vraiment très exigeant pour toi ?

Oui. Mes passagers, c'était le public que je ne voulais pas décevoir. La Course, c'était comme me demander de savoir décoller, en n'ayant eu qu'un cours technique de 30 heures, et d'atterrir à Sarajevo en pleine guerre. Il y a énormément de contraintes techniques à régler pendant la Course et cette métaphore ne concerne que ces aspects. Sur le plan créateur, je me suis rendu compte que j'avais des idées et que ça pouvait aller de ce côté. Mais de faire des plans de montage, des économies d'images, de couper quand tu n'en as pas envie, de négocier avec les gens (la Course, c'est une histoire de séduction), de mettre ton film dans l'avion après avoir rempli la paperasse et négocié avec les officiels des douanes, ça a été dur pour moi. Mais le plus difficile, c'était de faire le plan de montage, d'aller chercher le plan exact (je suis un perfectionniste) et de ne jamais voir mon film monté. J'avais peur de décevoir, je voulais trouver les bons mots, ton, expressions, voix au micro. La Course, c'était parfois comme piloter dans le brouillard, sans savoir ce qui m'attendait et quel allait être l'état de la piste lorsque j'atterrirais. Il y a une grosse différence entre atterrir à Puerto Vallarta et Sarajevo. Je me demandais aussi si mes passagers allaient faire un beau voyage. Je les avais embarqués mais je ne devais pas les perdre en cours de route, je devais revenir avec eux. Je ne voulais pas que le public, décroche mais je ne voulais pas me tuer non plus en faisant une fausse manœuvre ou en prenant un mauvais chemin. En avion, les routes ne se voient pas, il faut savoir se servir d'un compas. Et le compas, pendant la Course, c'est peut-être l'instinct, auquel je devais me fier, car je vivais constamment en manque de références par rapport à ce qui se passait autour de moi. Tout était nouveau, inédit.

En faisant la Course, tu espérais avoir juste assez de temps pour te laisser habiter par les gens et les lieux de ce voyage. Est-ce pour cela que ton itinéraire de Course a été bien différent de celui des autres concurrents ? Que tu t'installais un mois dans un pays, pour y faire plusieurs films, plutôt que de n'y passer qu'une ou deux semaines ?

La première fois que je suis parti en voyage, c'était à Paris pour voir ma sœur qui y habitait. J'y suis resté un mois, sans sortir de la ville, sauf une fois pour visiter mon grand-père à 60 kilomètres de Paris. Je préfère rester plus longtemps dans un même endroit et surtout dans les grandes villes. Je n'ai pas vraiment le tempérament pour me promener en quatre par quatre dans la campagne.

C'est au Pakistan que j'ai le plus voyagé pendant ma Course, en autobus et en quatre par quatre, mais c'était parce que le sujet que j'avais choisi m'y prédisposait. Pour moi, le fait de rester plus longtemps dans une même ville avait l'avantage de me permettre de sentir un peu plus ce qui se passait autour de moi. J'ai pris le temps de flâner, de découvrir, de scruter et de faire des films qui sont peut-être un peu plus personnels en ce qui a trait à leur interprétation. Ce n'est pas par paresse que j'ai choisi de faire ma Course ainsi. Ce n'était pas plus facile, mais certainement plus intéressant. Il y a des films que je n'aurais pas pu faire si je n'étais pas resté aussi longtemps dans une même ville. Je pense à mon film *Orthodoxe*, par exemple, dont le flash m'est apparu à force d'être en

1

2

❶ Foire aux chameaux Le Caire, **Égypte**. Du char d'assaut au jeep Cherokee, le chameau demeure la monture idéal pour la traversée du désert : aucun problème de radiateur, il ne s'enlise jamais et consomme peu ; carburant sans plomb uniquement...

❷ Le Caire, **Égypte**. Je n'aime pas les portraits de famille. J'aime mieux les Égyptiens. Dans un marché, ils m'ont offert un café noir très sucré dans le fond d'une petite tasse sèche de crasse. Et, doucement, ils se sont foutus devant mon Nikon. J'aurais préféré que ce soit un accident. Que mon coude effleure l'obturateur.

❸ Moscou, **Russie**. Chanter la gloire et les regrets d'un empire. Voler, toujours voler, capitaine aviateur sans armée, voler, toujours voler, maintenant vers nulle part, peut-être est-ce un lieu pour moi.

3

Russie et en réaction à ce que j'y voyais. Je m'implique beaucoup dans mes films du point de vue personnel. Je suis un maniaque, je refilmais plusieurs fois les mêmes plans lorsque ceux-ci ne me convenaient pas vraiment. J'avais donc besoin de cet espace-temps à exploiter dans un même endroit.

On ne reste jamais assez longtemps dans un pays. Je me sentais toujours frustré d'abandonner les gens qui m'avaient aidé. J'avais l'impression de leur avoir tout pris sans rien leur donner en retour. Ça aussi, c'était très difficile.

Tu as été frustré de quitter Moscou, même si cela a été un choc pour toi. Tu disais qu'il y avait une manne de sujets. Si on te donnait la chance de partir demain pour faire un film n'importe où, sur n'importe quel sujet, où irais-tu et sur quoi travaillerais-tu?

Il y a des pays qui sont faits pour voyager en touriste, en étant totalement inconscient. Il y en a d'autres qui sont plus stimulants du point de vue de la création, car plus difficiles d'approche, comme la Chine par exemple. C'est probablement là que je serais tenté de retourner pour aller soulever des croûtes, pour faire rire les Chinois. Les bouddhistes ont cette notion du « rire du lion ». C'est le nirvāna de réussir à faire rire un lion et cela veut dire que tu as atteint une telle béatitude, une telle grâce que même un lion affamé s'écroulerait de rire sur ton passage. La Chine, c'est l'extrême... Et les extrêmes m'attirent. J'irais aussi en Asie, en Australie, à la Terre de Feu, dans l'Arctique, au Bangladesh, en Sibérie ou à Lauzanne... N'importe où, n'importe quand!

Je voudrais aussi tenter de faire de la fiction, de la fiction-documentaire, dans le style de Jorris Ivens (*Histoire de vents*), qui m'a beaucoup marqué. J'aime beaucoup, également, la caméra insidieuse de Jean Vigot et, plus près de nous, le naturalisme de Perreault de l'ONF. Ils font tous les trois des films d'observation brillants, jamais gratuits, qui viennent te chercher aux tripes.

En quittant la Pologne, tu disais qu'elle avait failli te tuer, que c'était l'enfer. Y as-tu vécu le pire moment de la Course?

Ce sont plus des circonstances de temps que de lieu qui ont fait que je me sois senti comme ça. Je n'arrivais pas à trouver de filons, à cerner de sujets et à rencontrer les gens qu'il fallait. Je venais de quitter la Russie qui m'avait beaucoup nourri. Le paradoxe russe m'a beaucoup impressionné et les Russes m'ont vraiment accueilli très chaleureusement. En Pologne, j'ai trouvé les gens froids, mitigés, proprets. Je m'y suis ennuyé. À Varsovie, j'avais l'impression d'être à Québec, donc pas de surprises pour moi. J'avais beau gratter mais je n'ai rien trouvé. C'était l'enfer, c'était le vide. Il y a aussi le fait que ça faisait cinq mois que j'étais en voyage et la fatigue s'était installée.

Le retour a aussi été pénible pour moi, car il me restait trois films à monter et je ne pouvais pas aller voir les gens comme je le voulais. J'ai tout simplement décroché le téléphone. Je montais l'Égypte à Montréal. J'avais une tonne de travail devant moi. Je voulais terminer ma Course en beauté. Résister à répondre au téléphone, à mes amis, pendant 30 jours, c'était de la torture.

Et le plus exaltant?

Définitivement mon arrivée en Égypte! Quel bonheur d'être assis dans une Toyota 73 qui tombe en pièces et qui roule sur un boulevard cahoteux du Caire. Il fait 18 degrés, le soleil rouge s'éteint dans la poussière, une brise fraîche entre par les fenêtres ouvertes, le poste de radio crachote « Arou Lemi D'oum Kalsoum ». Je mange le meilleur sandwich kofta au monde, le chauffeur de taxi rit aux éclats et Karina Goma est mon interprète. Les Égyptiens sont tellement chaleureux et je me sentais comme un poisson dans l'eau au Caire, même si cette ville peut offrir un spectacle très dur. C'était la période du Ramadan, leur Noël, qui dure un mois. Il y avait donc un air de fête partout, une insouciance de vivre. Les Égyptiens disent qu'il n'y a pas une solution à un problème, mais qu'il y en a mille. Il faut prendre le temps de les chercher. Je me suis trouvé une affinité spontanée avec leur rythme de vie cynique et lent...

On t'a demandé de faire 20 films en six mois. Lequel d'entre eux considères-tu le plus important?

Il est difficile de pointer le ou lesquels de mes films sont le ou les plus importants.

4

❹ Paris, **France**. Jour de spleen. Je suis incapable d'écrire ou de créer quoi que ce soit. Mon plan de montage n'est pas prêt. « Va te faire foutre, Jean-Louis. » Je rentre bientôt à Montréal, les Parisiens me cassent les couilles. Ils parlent trop ces Gaulois. Ils peuvent bien avoir peur que le ciel leur tombe sur la tête.

❺ Moscou, **Russie**. Depuis l'ouverture de la Russie à l'économie de marché et la fermeture de plusieurs usines d'État, des milliers de Russes, ingénieurs ou bureaucrates, se sont trouvés forcés de faire du commerce de rue pour survivre, même par - 20 °C.

5

Le premier, *Baptême indien*, en est un que je revois et auquel je pense avec des boules dans la gorge et des nœuds dans le ventre. Même si ce n'est pas une grande réussite cinématographique, le style épistolaire et l'emploi du « Je » campaient les bases de mes films suivants, leur caractère subjectif. Je renonçais au journalisme pour mettre en scène ma stupeur et mon étonnement : traduire le malaise du petit Blanc d'Amérique débarquant à Bombay dans ses habits neufs, avec l'ambition de faire des films sur un « sujet » plutôt que sur sa réaction à un environnement qui, pourtant, a plus à lui offrir que de « l'information ».

Grande croisade que de faire un premier film : deux semaines de montage, j'étais déjà en retard...

Documentaire est un film que j'aime beaucoup. C'est un film que j'ai trouvé agréable à tourner et à monter. Un film de délire avec une structure narrative un peu éclatée, qui m'a permis de régler des comptes avec ma frustration de ne pas « pouvoir tout dire » et d'expérimenter sur les possibilités de créer diverses émotions dans une capsule de 4 minutes 30. Difficulté supplémentaire : il fallait mettre en scène une comédienne qui n'avait jamais joué et qui ne parlait pas bien le français. C'était aussi une manière de rendre hommage à quelques cinéastes que j'admire : Godard, Resnais, Truffaut, etc.

J'ai beaucoup aimé tourner et monter *Catacombes,* où toute l'oppression caractéristique de la Chine communiste ressortait de l'absence de mon commentaire et des quelques mots, traduits en sous-titres, sur le passé de la vie chrétienne des vieux Chinois confondu au portrait de Mao Tsé-Toung, sur fond de marche militaire de la révolution... « Marchons au pas, camarade. »

Il y a aussi *A-Pologne-Gie du vide* qui m'a permis une incursion dans le monde de la critique pure de la forme... Une étude sur le vide, que j'adressais, de manière désinvolte et cynique, aux maîtres penseurs et critiques d'arts visuels, ainsi qu'à moi-même : heureusement pour moi, il y a la fonction cognitive du cinéma.

Il y a enfin *Montréal/Delhi. Tour-Détour* qui boucle la boucle de ce voyage, mon désarroi de me retrouver dans le quotidien trop ordinaire d'un Québec qui m'a manqué et que je cherche à mon arrivée. Un Québec qui m'aime et que je méprise un peu, malgré moi, avec tout l'effort que cela demande de vivre avec son temps, d'aimer les gens d'ici, comme ceux d'ailleurs, tels qu'ils sont.

Pendant la Course, tu disais qu'en rentrant les candidats devraient avoir droit à un programme de « réinsertion sociale ». Est-ce que tu vis ton retour comme ça ? As-tu pu faire ton bilan de Course ?

Le retour à Montréal a été cinglant. J'ai constamment des réminiscences de voix, de parfums, de lumières et de visages de l'étranger qui m'habitent comme des fantômes et me disent : « Manuel, reviens nous voir. »

Je rêve tout le temps de choses bizarres. Je me fais penser à ces savants fous, dans *Tintin et les cigares du pharaon*, qui s'éveillent de leur coma, à 17 heures précises, pour hurler, attachés dans leur lit : « Au secours, la momie... la momie... la momie... »

Ainsi, pour ce qui est de mon bilan, je pense qu'il ne sera jamais fait. Il n'y a pas de finalité à un tel voyage : il continue de vivre et d'évoluer en moi. Cependant, de la grande disparité entre l'état du voyage et celui du retour naît l'impression de tourner en rond. D'être pris au piège, dans sa famille, ses habitudes, sans compter l'encadrement accaparant des médias auxquels on ne peut échapper quand on est un personnage d'intérêt public...

Il n'y a pas de bilan. Il y a désormais la porte ouverte au voyage, il y a l'éloge de la fuite, de la liberté à tout prix, en ces temps d'incertitude et d'oppression.

Il n'y a pas de bilan. Il y a le vent pour voler et foutre le camp, il y a qu'il reste peu de temps pour vivre, trop de choses à faire et à voir avant de crever.

Il n'y a pas de bilan. Il faut fermer le téléviseur, déchirer ses comptes en souffrance, mettre le feu à sa maison et prendre le train.

Il n'y a pas de bilan. Ce voyage a fait de moi un immense laboratoire vivant, dont je suis l'unique cobaye et l'unique chercheur à la fois.

VIOLAINE
GAGNON

Nowhere, le Monde. Des moments, des instants, espaces courts si courts mais qui durent... sur lesquels le temps passe sans laisser de traces. Je reviens avec une planète qui m'habite et dont moi seule connais certains recoins, certains visages oasis...

Violaine, avant de partir, tu disais que la Course t'apparaissait à la fois comme l'étape qui suivait tout ce que tu avais accompli jusqu'ici et comme le *big bang* qui ferait exploser tout ce qui bouillonnait à l'intérieur de toi. L'explosion a-t-elle eu lieu ?

Il y a trop de choses qu'on ne peut pas dire... J'ai implosé avant d'exploser. Prisonnière de mes mots, de mes joies, de mes délires, je n'ai pas su tout dire, tout mettre à jour. Je suis éclatée à l'intérieur de moi, défaite et reprise, conquise et libérée... Il n'y a rien de moi qui se soit perdu ou effacé, il y a des visages nouveaux qui se sont révélés, je suis plus douce et plus en colère à la fois, pleine à hurler, mais percée de silence aussi. On se découvre mais on apprend à se chercher avant tout. Ce n'est pas de l'ambiguïté mais plus de clair-obscur c'est tout... et des zones grises, bien sûr, faut bien laisser place à découvrir, encore, apprendre et réapprendre.

J'aurais voulu accoucher d'un monde, j'en porte bien plus en moi que j'en ai craché dehors, me voici en gestation d'un monde qui m'a engrossée. Je ne sais plus parfois si j'ai changé, j'ai encore trop mal et trop jouissance. Angoissée d'être toujours la même, certaine de ne plus l'être, inquiète de ne pas savoir qui suis-je à travers tous ces morceaux de moi. Je n'arrive pas à dire si je suis satisfaite ou non de la Course que j'ai faite. Et je me demande si une telle question doit se poser à propos d'une expérience qui se déroule à une vitesse telle que l'on a jamais le temps, ou si peu, de réfléchir, de comprendre, d'analyser, d'améliorer... Comme si la vie t'attaquait de tous côtés, un tourbillon qui t'arrache et dans lequel tu te noies et contre lequel tu te bats, et l'extase qui naît des deux côtés ; de ce que la vie t'impose et de ce que tu lui arraches...

C'est maintenant que j'apprends ou que je commence vraiment à apprendre et comprendre ce que j'ai vécu à 1 000 lieux d'ici. Je dis commencer à apprendre parce que, depuis mon retour, j'ai surtout senti le besoin, le désir, de ne plus bouger, de me laisser aller aux derniers soubresauts de la vague (ou du raz de marée). Un peu comme après avoir couru, lorsqu'on s'étend sur le dos et qu'on s'abandonne dans une fatigue toute bienfaitrice au plaisir de s'être donné à fond, et bien sûr qu'il y a douleur, on ne donne pas sans s'écorcher comme on n'explose pas sans se briser mais la satisfaction qu'on en tire... À m'entendre j'ai l'impression que ma réflexion sur la Course, ma Course, ressemble à une célébration du paradoxe, peut-être que la force et la beauté des êtres ou du monde tient du contraste... Je n'invente rien ici, je le sais, je découvre, je suis encore naïve, ignorante, ça aussi je le découvre.

Tu parles de désillusions. Dans ton film *La princesse au fond du puits*, on se rend compte que tu en as vécu une vraiment profonde. Ça arrive souvent ce genre de désillusions pendant la Course?

Oui ou non, parce que ma rencontre avec Nilani avait quelque chose de très particulier; je la connaissais déjà. En 1987, nous avions passé six mois ensemble grâce à un échange interculturel, trois mois au Canada et trois mois au Sri Lanka. Le choc des cultures, c'est un peu le champ de bataille où nous avons finalement conquis notre amitié.

Lorsque nous nous sommes quittées, il y a cinq ans, pleines d'espoirs et pleines de rêves, j'avais beau être consciente de la situation difficile de son pays, je ne me serais jamais doutée que les choses tourneraient ainsi pour elle. En Nord-Américaine que je suis et avec toute la naïveté de mes 21 ans, je ne croyais pas possible que l'avenir d'une fille tout aussi forte et ambitieuse que Nilani puisse être sans issues. Dans un pays aussi choyé que le nôtre, c'est tellement facile de croire que pouvoir ne tient qu'à vouloir.

La désillusion, c'est dans le regard de Nilani que je l'ai lue, un regard vide d'espoirs, vide de rêves, vide de demains, un regard immobilisé dans une résignation qui m'a, moi, ébranlée. Elle me parlait comme une femme de 75 ans qui n'attend plus rien de la vie, sauf que Nilani a 26 ans. Et qu'elle me parle de son enfance comme des seuls jours heureux qu'elle a vécus, ça me révolte. Moi, la choyée qui fait le tour du monde et elle qui me dit que ces plus beaux moments depuis quatre ans qu'elle vit à Singapour, c'est mon passage. Il y a de quoi se sentir bien petite, bien impuissante, et bien dérisoire aussi.

Et ça m'a fait penser à ce que je retrouverais, si un jour je retournais à ces amitiés que j'ai ébauchées pendant la Course. C'est difficile de réaliser que des gens qui nous ont touchés par leur courage, leur énergie, leur force de vivre, risquent d'être vieux à 30 ans, non pas parce qu'ils ont perdu l'enfant en eux, mais parce que la vie l'a empêché de croître et de s'épanouir.

Et c'est justement ce qui m'a frappée dans beaucoup de pays d'Afrique ou d'Asie, l'importance que l'on donne à l'enfant en soi, l'être humain à la base, dans tout ce qu'il a de vulnérable et de grandiose. Plusieurs de ces cultures basent leurs valeurs sur la relation avec l'autre ; la famille, l'entraide, l'amitié, la loyauté, priment. Nous qui avons, pour la plupart, la chance de vivre sans avoir chaque jour à se demander si demain on aura quelque chose à manger, si demain un de nos proches ne se fera pas tuer, on trouve le moyen de manquer d'amour. Et eux qui constamment se battent pour demeurer au moins sur la ligne de survie, avec toute leur force de vivre et d'aimer... Qu'est-ce qu'ils auraient à bâtir s'ils avaient la possibilité d'aller plus loin ? Et je ne crois pas qu'une culture soit meilleure qu'une autre, surtout pas. Chaque culture comme chaque être humain a sa richesse et devrait pouvoir la développer, librement, à sa façon. Ma plus grande désillusion, c'est de savoir que des êtres humains, des cultures, des peuples, sont privés de ce droit de grandir, de s'épanouir, de voir plus loin. La Course, c'est l'amour du monde qui t'éclate dans les mains, et ça fait mal aussi.

Voyager seule, lorsqu'on est une femme, ce n'est pas toujours évident. As-tu trouvé ça très difficile ?

On se fait demander ça tellement souvent ! Je n'ai jamais vécu en tant qu'homme, ça fait 27 ans que je vis en tant que femme, c'est la seule chose que je sais faire et je me débrouille pas si mal je pense.

La Course c'est difficile pour tout le monde un point c'est tout. C'est sûr que certains dangers guettent plus les femmes que les hommes, le contraire peut être vrai aussi... Depuis que la Course existe les gars ont plus tendance à se faire voler ou agresser que nous, alors ? C'est peut-être parce qu'on joue plus de prudence, on a peut-être un sens acquis (ou imposé !) qui nous amène à évaluer le risque plus consciemment ? Et alors donc ? Si ça joue en notre faveur ? Parfois avantagées, parfois restreintes, il me semble que ça vaut aussi pour les gars, et qui gagne ici, perd là, voilà.

Ça n'empêche pas que de voyager en tant que femme, c'est différent qu'en tant qu'homme. Ça, je l'ai réalisé en écoutant mes comparses masculins raconter leurs aventures. Accepter les propositions d'un chauffeur de taxi, ou d'un passant qui t'offre de te guider, c'est pas tout à fait évident pour nous. Dans bien des endroits, une fille qui dit oui à une telle offre, dit oui à bien d'autres choses en même temps. Là, où les relations hommes-femmes sont régies par un code bien précis, déroger, c'est aussi risquer. Les gars aussi sont restreints ici, approcher une femme, avoir une discussion franche et directe avec elle dans un contexte où hommes-femmes n'échangent pas comme ça, c'est pas facile. C'est sûr que le risque que tu prends à déroger est souvent drôlement plus dangereux pour une fille. Toi, c'est ta peau qui est sur la ligne avant. Mais, à ça, on est peut-être habituée. Je veux dire que même chez nous on pense plus souvent à protéger sa peau qu'un gars. D'ailleurs, le personnage le plus dangereux que j'ai rencontré, c'est un Français. J'étais à Cayenne, capitale de la Guyane française. Un des avantages que j'ai trouvé à être dans ce lieu semi-européen, plutôt touristique, c'est que pour une fois, en tant que femme seule, je pouvais m'installer sur une terrasse et prendre une bière sans être à contre-courant.

Je n'étais pas assise depuis deux minutes qu'un Français m'offre un verre. « Non, merci. » « Toi tu sais ce que tu veux ! » « Je sais surtout ce que je ne veux pas ! » « Quel caractère, je n'ai jamais rencontré une fille comme toi ! » Et il s'impose à moi. Il m'invite finalement à souper, j'ai autre chose à faire, mais j'ai faim, j'ai plus un sou, donc j'accepte. Vin, bonne bouffe (on se serait passer des chandelles) mais enfin, et voilà pour les avantages d'être femme ! Monsieur se raconte, j'ai l'oreille patiente (surtout quand l'estomac est creux). Il est ex-légionnaire, amoureux de l'Amazonie et finit par me proposer de participer à une mission profonde, une expédition de survie par laquelle les légionnaires font leur premier vrai contact avec la jungle ; celle qui les fera tomber ! Il serait mon porteur. Romantique et bien tentante, l'expérience me séduit, mais le doute me poursuit. Suis-je trop peureuse ? La Course c'est accepter de risquer ! J'y pense, il m'invite à danser, j'accepte, ce qui le met en confiance. Monsieur « m'entreprend », il a l'empressement un peu trop agressif à mon goût, je me barre comme qu'il dirait lui. Bonsoir, bonne nuit et adieu Amazonie !

Qu'est-ce que j'aurais fait s'il n'avait pas découvert son jeu si vite, j'aurais risqué ? Je ne suis pas convaincue, en tout cas, que dix légionnaires au fond de la jungle auraient pu me servir de refuge contre celui-là. Un de perdu, dix de retrouvés ?

En ville, dans un contexte différent, j'aurais pris le risque de passer une soirée avec ce gars, mais quand je parle de notre éducation à évaluer le risque, je crois que ça m'a servi dans ma décision de refuser l'expédition, les sorties de secours ne sont pas trop nombreuses par là. Et si j'avais été un gars? Il ne m'aurait probablement pas proposé ça? Et quel souper j'aurais manqué! Faut bien se consoler!

Quels films ont été les plus importants pour toi?

Chaque film représente une semaine d'expériences, de découvertes, de rencontres, d'explosions, plus surprenantes et plus déroutantes les unes que les autres. C'est pourquoi, pour moi, chaque film cache quelque chose de particulier, quelque chose qui m'agrippe le cœur. On n'arrive pas toujours pourtant à transmettre ce que l'on ressent, et comme le but de toute création c'est avant tout de communiquer une émotion, un sentiment, une idée, qu'importe, c'est sûr que là où je suis parvenue à me révéler le plus honnêtement, le plus clairement, c'est là où je me sens la plus satisfaite.

Ma rencontre avec Nilani, et le fait d'avoir réussi à la partager avec les mots de mon cœur malgré la désillusion, est un film marquant pour moi.

Mon film sur les chercheurs de pierres précieuses, parce qu'il est aussi très fidèle à la rencontre que j'ai vécue avec ces gars. Et puis, parce que depuis longtemps j'avais envie de faire un film sur la beauté des hommes. Non pas sans une pointe d'humour ou sans un clin d'œil. Combien souvent nos créateurs, nos artistes mâles j'entends, rendent hommage à la femme, pourquoi ne pas leur rendre la pareille? Faut dire que ces hommes avaient un petit quelque chose de bien inspirant.

Un autre film, peut-être en fait celui que je préfère, c'est ma partie de chasse en Ouganda. Pour la complicité que j'ai réussi à transmettre, pour l'humour qui est le mien et qui s'est éclaté. En fait j'aurais voulu, j'aurais rêvé que ma Course soit à l'image de cette aventure-là, et que ma création s'en suive. J'ai adoré ces moments, je me suis amusée comme jamais, mes chasseurs ougandais et moi on était une équipe pas battable! Ce n'était pas la proie qui nous motivait mais l'amour du jeu. Je me rappelle que les juges ont souligné le côté bon enfant, le côté naïf de mes amis-chasseurs, et le succès avec lequel je l'ai transmis. Je tiens à dire que jamais je n'ai eu l'impression ravie de constater une telle candeur. Non, je ne me suis pas dit en les regardant: « Quelle beauté naïve, quelle innocence! », ou une quelconque connerie du genre. Au contraire, j'avais tellement l'impression d'être avec des gens qui me ressemblaient, qui appréciaient la vie, les moments de la vie, comme moi je le fais... Si c'est bon enfant, tant pis, tant mieux, la vie est drôlement agréable comme ça. Ce film-là, peut-être, c'est ma façon d'affirmer la primauté d'existence de l'enfant en moi, mon non-muet à l'ère de l'âge adulte.

Si on te demandait de faire un dernier film, où irais-tu et quel en serait le thème?

C'est difficile pour moi de répondre comme ça, spontanément. Les meilleurs films que j'ai faits, ceux qui me plaisent le plus, tiennent bien plus à la magie d'une rencontre qu'à des sujets longuement réfléchis, longuement préparés. C'est difficile de répondre à ça sans invoquer des regrets. Le regret de ne pas avoir réaliser plus vite qu'il n'était pas nécessaire de chercher le sujet à tout casser, mais surtout qu'il fallait apprendre à transmettre l'empreinte de la rencontre, la rencontre avec l'autre, avec le monde, avec soi.

Quand je suis partie, je ne savais même pas c'était quoi faire un film. J'ai tourné en rond longtemps. À Radio-Canada, on me demandait de trouver un sujet, un enjeu, quelque chose de tangible, que j'aurais pu communiquer comme un *lead* au téléphone en deux phrases chocs. C'est presque par hasard que j'ai compris l'importance de transmettre autre chose autrement, et chaque fois, c'était en croyant que ça ne passerait pas, que ça je le faisais pour moi, par désir et besoin d'exulter, et puis c'est là que ça a le mieux marché.

Des films qui me reviennent? « Les meilleurs films c'est ceux qu'on ne fait pas », a dit Simon Dallaire, et c'est presque vrai. Des films qui me reviennent que je n'ai pas fait et que j'aurais voulu faire... il y en a plein. Ils me reviennent au fil des souvenirs, des images, des instants, des rencontres qui m'ont fait vibrer, pour lesquels je vibre encore, et qui, jusqu'à ce que je trouve une façon de les exprimer, n'appartiennent qu'à moi, m'habite moi, me colore moi, ma réalité, mon imaginaire.

Pendant la Course, on oscille entre l'enfer et le paradis. Le Japon t'a traumatisée. Y as-tu vécu le moment le plus pénible de ta Course?

Traumatiser est un bien grand mot. Et puis on n'oscille pas entre l'enfer et le paradis, on vit les deux en même temps, tout le temps. Ma rencontre avec le Japon m'a laissé un goût amer; je dis bien ma rencontre et pas

1

2

➊ Les fresques de Sigiriya, 5e siècle après J.-C., **Sri Lanka**. Je ne me rappelle même plus comment je suis montée là-haut. Un roc immense, un ancien château et les seules survivantes figées sur la pierre.

➋ **Sri Lanka**. Bouddha et encore Bouddha !

➌ L'heure du thé, Nuwara, **Sri Lanka**. L'heure de la pesée qui va déterminer le revenu de la journée.

3

4

❹ Kirimali, Kotambe, **Sri Lanka.** Retour au village après cinq ans sans m'être annoncée... Six heures de bus jusque-là, où personne ne va, là où aucun Blanc n'a mis les pieds depuis notre départ. Je descends anxieuse, nerveuse, prête à me sauver, si on ne me reconnaît pas... Et lui, qui est là, Kirimali (petit frère), comme s'il m'avait attendue tout ce temps. Il m'a prise par la main et m'a amenée à la maison.

❺ Mur d'éléphants autour du temple, Ruwanwelisa, **Sri Lanka**. L'éléphant est l'animal le plus vénéré du Sri Lanka.

5

le pays. J'ai étudié la culture japonaise, c'est une structure de société basée sur une philosophie qui me fascine; les liens serrés qui la tissent et tous les réseaux sous-entendus de communication en font un pays très cohésif. Mais voilà justement le problème, sans contact au Japon, pas moyen de percer une brèche. J'étais trop mal préparée, même si en théorie je savais, en pratique je me suis tapée le tête contre un mur, mais un mur dans lequel j'ai foncé presque les yeux ouverts. J'ai été drôlement maladroite au Japon; j'ai sous-estimé bien des protocoles culturels, j'aurais dû être plus polie, plus patiente dans un monde où la communication s'exprime dans un protocole de raffinements. Moi j'avais des grosses pattes d'ours.

Le vide que je ressens pour le Japon est un vide qui découle de l'absence de rencontre, de moments forts, de liens créés. Il aurait pu en être tout autrement, je suis consciente de ça. Et l'amertume vient d'abord de ce manque-là.

Et le plus passionnant, est-ce en Afrique?

Passionnant au sens de la violence des émotions, je pense que oui, l'Afrique m'a emportée. L'Asie a été tout aussi captivante, mais peut-être moins enflammée, moins délirante. La culture asiatique au départ est plus intravertie. L'Afrique, c'est une explosion à ciel ouvert, c'est un continent tout en contrastes, d'un lieu à un autre, mais aussi en contrastes qui se côtoient dans un même endroit.

L'Afrique m'a littéralement séduite, je suis séduite par les paradoxes. Plus ça éclate et plus je chavire. Drôle de chose à dire pour une fille aussi douce que moi. J'ai presque l'impression d'avoir des racines en Afrique et pourtant il n'y a pas grand chance que ce soit physiquement possible. L'Afrique c'est peut-être le monde qui, dans sa réalité, rejoint le plus mon imaginaire avec ses textures, ses couleurs, son monde mythique, sa magie et surtout cette notion de temps qui semble ne plus compter. Le temps en Afrique, c'est l'intensité du moment.

Avec toutes ses déchirures, ses violences, ses souffrances, sa force de vivre, le sentiment que l'Afrique éveille en nous, peut difficilement être autre que passionné.

Pour toi, le voyage c'est le souvenir de l'autre, et le souvenir, c'est la caresse de l'autre. Est-ce le bilan de ta Course?

Un pays, une ville, un lieu, c'est avant tout pour moi, le souvenir de l'autre. Le souvenir de l'autre, c'est une caresse en moi, un moment partagé, un regard échangé, un regard emprunté aussi pour voir et comprendre le monde d'une nouvelle façon. Ma Course ça a été une rencontre avec l'autre et une rencontre avec moi, parfois avec les yeux d'un autre. On est vulnérable pendant la Course. Pour aller chercher chez l'autre des moments intimes, des émotions sincères, il faut aussi s'ouvrir. Je n'ai pas l'impression d'avoir voler ou profiter des gens, pour tout ce que je suis allée chercher chez quelqu'un, j'ai donné tout autant, je n'ai pas trouvé d'autre route que celle-là.

On peut séduire sans aimer, on peut s'émouvoir sans aimer, on ne peut pas connaître sans aimer, on ne peut pas aimer et oublier. J'oublierai peut-être le nom, les visages seront peut-être flous dans ma mémoire, mais il y aura toujours cette caresse de l'autre pour me rappeler. J'ai fait le tour de la planète, ce que j'en connais est infiniment petit, ça ne tient qu'à quelques rencontres, mais celles-là ont quelque chose d'immense qui fait de mon monde quelque chose d'infiniment grand. Je reviens avec une planète qui m'habite, une planète que moi seule connais, mais qui s'offre à tous ceux que j'aime.

Je ne sais pas si je vais faire d'autres films un jour, si je vais créer, ou plutôt si je vais arriver à communiquer ce que je crée, mais je sais que je vais encore et toujours aimer. Et tant pis si c'est naïf, « kétaine » ou bon enfant. Une chose est sûre, je suis heureuse de ne pas penser le contraire.

***

Difficile de savoir si je reviens plus forte ou plus faible... peur de ne pas avoir changée.

En sols mouvants...

« Parfois la réalité est si extraordinaire que la conscience vole sa place à l'imaginaire. »

« Et lorsque tout redevient normal, c'est l'imaginaire qui remplace le réel. » J'ai lu ça...

En sols mouvants...

Refuge dans un monde qui a disparu.

Un monde qui a explosé hors de moi
et que j'aspire à l'intérieur maintenant.

J'ai le territoire de l'imaginaire défoncé,
sols mouvants, âme pesante,
moins sûre que forte.

Y'a des couleurs qui m'échappent,
souvenirs fluides d'une réalité trop prenante.

Vivre à rêves déchaînés et rentrer chez soi,
croire, inexister quand tout s'est arrêté,
ou encore,
ne plus vouloir bouger, sentir encore les secousses du dernier voyage,
laisser mon corps vaguer.

Attendre. Lentement la prochaine marée, lentement.

Laisser le sable collé à ma peau, ne pas l'enlever, attendre qu'il tombe de lui-même. Attendre lentement qu'une autre eau vienne me lécher, m'envelopper, m'emporter. Me noyer à nouveau !

Violaine Gagnon

MARC
ROBERGE

Je me suis assassiné en partie durant ces six mois de dérive. Mes idées préconçues sont toutes passées au hachoir de la réalité sur le terrain.

Marc, ce qui te fascinait le plus avant d'entreprendre la Course, c'était de savoir que ta vision du monde se ferait assassiner en cours de route. Le meurtre a-t-il eu lieu ?

Je me suis assassiné en partie durant ces six mois de dérive. Mes idées préconçues sont toutes passées au hachoir de la réalité sur le terrain. J'ai compris que notre mode de vie n'est pas un produit d'exportation valable. Auparavant, peu de facteurs entraient en ligne de compte lorsque je portais un regard sur le monde. Mon univers de références, et c'est normal, a souffert trop longtemps de n'avoir pas goûté aux autres cultures. Leurs mentalités, leurs coutumes et leurs façons de faire sont trop différentes des nôtres. On devrait vraiment arrêter d'essayer de changer ces gens mais plutôt leur permettre de trouver eux-mêmes un système qui leur conviendrait vraiment. Ils auraient beaucoup trop à perdre, du point de vue de leurs valeurs, si nous arrivions à les modeler à notre manière. La différence est pour moi la plus grande des richesses. C'est dans les nuances de vivre que sommeillent les germes d'évolution ou, à tout le moins, de transformation des sociétés.

J'ai aussi confirmé des choses pendant ce voyage. Les gens qui m'intéressent sont définitivement ceux qu'on dit petits. Petits, pour moi, c'est loin d'être péjoratif. Il faut chercher à être petit et à le rester. Je me sens bien parmi ces gens et j'apprends beaucoup avec eux. Les gens simples t'enseignent à lire la vie adéquatement. Si tu les écoutes attentivement, il t'arrive de décoder des éléments de sagesse qui, sans quoi, ne se manifestent généralement que plus tard dans ton existence. Je crois que c'est aussi comme ça que j'ai mené ma Course. J'ai pointé ma caméra vers ceux dont on ne parle pas normalement. Je me disais souvent que les gens rencontrés pendant la Course m'ont donné beaucoup et moi, pas grand chose en retour. Philippe Falardeau m'a depuis fait remarqué qu'on apportait quand même quelque chose aux gens rencontrés pendant notre voyage. Par le simple fait de s'intéresser à eux, on leur offrait notre respect devant leur beauté de vivre. Ça m'a fait du bien de réaliser cela.

Avant de partir, j'étais aussi pessimiste quant à l'avenir de l'humanité. Je ne peux pas dire que j'ai changé d'avis depuis. Je joue souvent au bouffon, j'aime rire de moi-même, ce qui ne m'empêche pas d'avoir un regard grave sur la vie. Le fait de vouloir tout uniformiser dans le monde me fait terriblement peur pour l'avenir des différences entre les peuples.

La forme la plus sournoise de cette tentative d'uniformisation se manifeste surtout dans la publicité. Nous leur servons, à travers nos publicités, des messages véhiculant la beauté esthétique et le bonheur de vivre dans notre société de consommation. Nous n'avons pas le courage de leur dire que ce confort matériel suppose une forte réduction des relations interpersonnelles.

Tu as été marqué par l'Éthiopie. Ton arrivée en Afrique a été vécue comme un grand coup de masse dans le front. Tu peux nous en parler ?

J'avais volontairement décidé de commencer ma Course par l'Afrique. Je voulais être stimulé au maximum en partant. Comme aucun des candidats de la Course des années passées n'était encore allé en Éthiopie, je tenais à m'y rendre. Je voulais vivre quelque chose de très fort en commençant et c'est effectivement ce qui est arrivé. J'étais dans la merde jusqu'au cou car je n'avais aucun contact à Addis-Abeba (je devais normalement me rendre à Érythrée mais je n'avais pas obtenu le visa nécessaire avant le départ). J'avais l'impression de ne plus être sur la planète Terre mais, en même temps, je « trippais » très fort. C'était, pour moi, un voyage dans le temps.

Voyage dans le temps par la conception qu'en ont les Africains. Leur notion de gestion du temps est bien différente de la nôtre. Un Africain ne comprend pas notre notion de « gaspillage » du temps. Par exemple, si tu prends rendez-vous avec quelqu'un et qu'entre temps un de ses voisins a eu besoin de son aide pour soigner une de ses chèvres, il oubliera ton rendez-vous pour aller lui prêter main forte. Même si tu avais pris rendez-vous avec lui la veille, tu arrives et il n'est pas là, parce que quelque chose d'autre l'a appelé ailleurs. On peut trouver ça difficile à accepter, mais c'est merveilleux dans le fond. Le temps est réduit à sa plus simple expression. C'est peut-être la conception que l'on vise ici quand on parle de la société de loisirs. Les Africains sont peut-être plus avant-gardistes que nous dans ce sens-là !

Voyage dans le temps, aussi, parce que leur quotidien me rappelait ce que mon père me racontait de la vie au début du siècle au Québec. Les gens vivaient plus près les uns des autres, étaient plus chaleureux, s'intéressaient plus à l'autre. Les Africains prennent le temps de s'asseoir, de boire le thé avec les voisins, de s'intéresser à la petite dernière qui vient de commencer l'école, etc. C'est ça la vie. Ils ont toute une leçon à nous donner du point de vue des relations humaines. J'ai l'impression que nous sommes sous-développés ou que nous régressons dans nos relations interpersonnelles.

Dans un tout autre ordre d'idée, l'Éthiopie m'a aussi marqué par toute la mendicité qui y sévit. La relation que les Éthiopiens ont développée avec les Blancs m'a choqué. Certaines personnes refusaient de répondre à quelques questions si je ne leur offrais pas d'argent. Par contre, c'est en grande partie de notre faute, c'est nous qui avons créé cette dépendance, par la façon qu'on a eu d'aborder les problèmes avec les Africains. On est arrivé avec notre poche de bonbons qu'on leur a donnés, avec deux petites tapes sur la tête, en leur disant qu'on reviendrait. On ne s'est jamais préoccupé de savoir et de comprendre ce que eux voulaient vraiment faire pour s'en sortir. Nos rapports avec l'Afrique restent fortement influencés par le mercantilisme des détenteurs du pouvoir politique en Occident.

À Johannesburg, tu dis que tu n'avais pas l'impression de vivre sur la même planète que la majorité des gens. Le sommeil était pénible, les contacts difficiles à effectuer. Était-ce le pire moment de ta Course?

Ça n'a pas été le pire moment de ma Course, même si ce n'est pas le pays que j'ai préféré. En Afrique du Sud, c'est là que j'ai appris le plus car j'y ai discuté avec une pléiade de gens: des Noirs, des Blancs et des membres de la minorité indienne. Ces gens provenaient de différents milieux: journalistes, coopérants, professeurs, étudiants, concierges, commerçants, etc. C'était très dur, pour moi, de constater que dans les années 90, le racisme, à l'état pur, qui s'apparente au nazisme, existait encore. Ça se sentait jusque dans le regard des gens que je croisais dans la rue. Je ne pouvais imaginer qu'une majorité de personnes, chez la minorité blanche dans ce pays, pouvaient encore croire que les Noirs étaient foncièrement moins intelligents qu'eux, juste parce qu'ils ont la peau d'une autre couleur. Que cette croyance soit érigée en système, c'est tout de même incroyable! L'apartheid est aboli officiellement mais il se perpétue de plus belle dans la pratique. L'ouverture des villes aux Noirs est relative à leur capacité d'acheter des propriétés que les Blancs monopolisent.

C'était difficile d'établir des contacts, parce que je voulais aller tourner à Soweto et ce n'était pas évident de trouver quelqu'un qui veuille m'y accompagner, d'autant plus que j'avais le teint un peu trop « pâle ». Même les taxis refusaient de m'y emmener. J'ai fini par m'y rendre grâce au père Lafond, un Français qui habite Soweto. Un étudiant, qui vit avec lui, m'a accompagné à Soweto et m'a aidé à réaliser mon film sur le boycottage du système d'éducation. Ce fut très difficile, les gens étaient méfiants et se demandaient de quelle manière j'allais parler d'eux. J'y ai perdu un temps fou, et avec la Course, c'est justement ce dont tu manques, le temps. Ça m'a fait paniquer. J'avais très peur. Dans ces moments, tu es plus réceptif, tu as la sensibilité à fleur de peau.

Le moment le plus difficile pendant ma Course a été la première semaine passée aux Philippines. Je venais de quitter l'Indonésie, où j'avais eu une guide extraordinaire, qui avait un sens de l'humour vraiment sarcastique et qui m'a beaucoup aidé là-bas. J'ai eu de la peine de devoir la quitter. Je suis arrivé dans le sud des Philippines sans bagages. Ils étaient restés à Manille parce que j'avais oublié de les faire dédouaner. Ça commençait mal mon séjour. Je n'avais pas de contacts, non plus, à Davao. Je vivais aussi un petit *down* émotionnel, ce qui a fait que j'ai passé pratiquement huit jours à ne rien faire. Je n'ai même pas visité la ville, je restais à mon hôtel à dormir. Je cherchais des sujets avec très peu d'enthousiasme, j'étais au bout du rouleau. Le rythme de production des films pesait lourd. J'ai téléphoné à ma famille. Elle m'a parlé de l'émission et de la façon dont mes films avaient été reçus. Ça m'a déprimé et c'est à partir de ce moment-là que j'ai demandé qu'on ne m'en parle plus. Bref, tout ça mis ensemble a fait que cette première semaine passée aux Philippines a été très pénible.

Un autre moment difficile, c'est celui où je suis passé du Cambodge à la France. J'ai quitté un pays merveilleux, le Cambodge, où les gens étaient souriants, chaleureux, pour arriver dans un autre, la France, où ils étaient froids et n'avaient rien à foutre de toi, ni des autres. En France, je me sentais aussi envahi par la publicité omniprésente et que je déteste. Au Cambodge, aucune trace de cette pollution de l'esprit. Le contraste entre ces deux pays m'a donné tout un choc.

Tu as vraiment aimé le Cambodge. Y as-tu vécu le moment le plus palpitant de ta Course?

Si je dois nommer un seul moment, oui, ce serait au Cambodge, mais il y aurait aussi au Chili et en Afrique en général. Mais reste que le Cambodge m'a profondément marqué. Lorsque je pense au film de Patrick Demers, sur le sourire, qu'il a tourné là-bas, je me dis que c'est exactement ça. Ces gens ont vécu les pires atrocités imaginables, le tiers de la population a été exterminé en neuf ans. Certains réfugiés sont rentrés au pays et réussissent encore à sourire. Depuis des siècles, ce peuple se fait passer dessus par tout le monde, mais il est resté chaleureux et a une force de vivre incroyable. L'espoir d'une vie meilleure ne les quitte pas, même s'ils ont toujours la peur au ventre. Les Cambodgiens m'ont profondément touché.

Si on te donnait la chance d'aller tourner un dernier film, irais-tu au Cambodge?

Oui, sans hésitation, je retournerais faire un film sur le Tonlé Sap, avec les gens qui y vivent sur des péniches. J'avais l'intention, pendant la Course, d'aller filmer les réjouissances rattachées aux pêches exceptionnelles qu'on y fait pendant le retournement des eaux, lorsque le Mékong est en période de crue. Je m'apprêtais à aller tourner ce film, mais mon projet est tombé à l'eau lorsque les représentants de l'ONU ont dû quitter la région où je devais me rendre à cause d'échauffourées avec les Khmers rouges. Sans guide ni interprète, je n'ai pas pu faire ce tournage.

Dans ton film *27 décembre ou mon purgatoire*, tu disais que plaire ce n'était pas ça la Course. Les critiques des juges t'ont donné des cauchemars. Comment es-tu arrivé à négocier avec toi-même pour continuer la Course?

Ce que je trouvais lourd, ce n'était pas que moi, ou un autre, reçoive de basses notes pour un film, en autant que cette note soit justifiée respectueusement. Ce qui n'a pas toujours été fait. Certains ont manqué de respect envers les coureurs. J'avais parfois l'impression que certains juges ne participaient à l'émission que pour parader et qu'ils se foutaient carrément des sentiments de ceux dont ils avaient à critiquer les films. Ils ne se rendaient pas compte de ce qu'une critique voulait dire pour la personne qui la recevait. Ça m'a aussi énervé, parce qu'inconsciemment, je crois que ces critiques ont modifié ma façon de faire mes films. Par exemple mon film, *Les yeux d'un autre*, que j'ai livré sous une forme très poétique, a été royalement descendu. À partir de ce moment-là, je n'ai presque plus fait de film de ce genre, alors que c'était précisément ce que je voulais faire au départ. Bon, j'exagère peut-être un peu. Je dirais qu'à 80 % j'ai tourné les films comme je le voulais. L'autre 20 % a peut-être été fait pour m'ajuster aux critiques. Toute la polémique autour de ma voix m'a aussi agacé. J'avais envie de dire aux juges: « Ne jugez pas les candidats mais plutôt les films. » Je ne pouvais non plus supporter le genre de critiques: « Il aurait dû filmer telle chose plutôt qu'une autre. »

❶ Soweto, ça fait peur ! Pliez les genoux et crispez-vous les doigts devant cette scène d'horreur. Elles riaient mais...

Après tout, c'est notre vision du monde qu'ils veulent avoir en faisant cette émission et non celle des juges. Du moins, c'est ce qu'on nous dit avant de partir.

Je ne veux pas généraliser, certains juges étaient très bons. De toute façon, ce n'est pas le classement qui compte pendant la Course. Si je peux souhaiter quelque chose aux futurs participants, c'est d'avoir la huitième position: c'est elle qui permet le plus de liberté. Je n'aurais probablement jamais eu le luxe et le plaisir de faire *Derniers Graffitis* avec Philippe Falardeau, en Californie, si je n'avais pas été dernier au classement. Ce qui est important, c'est que je suis content de ma Course. Je ne connaissais rien à la caméra et j'ai osé essayer plein de choses avec elle.

Lequel de tes films est le plus important pour toi?

Mon premier, *Les yeux d'un autre.* J'ai mis presque 50 heures de montage dans ce film. Quand je l'ai visionné, j'avais de la misère à croire que j'en étais l'auteur. Le texte qui l'accompagnait était très dense, rempli d'images. J'endosse cela, c'était voulu ainsi. J'y parlais du coup de masse dans le front et de la douleur que j'ai ressentie en Éthiopie. Ces enfants héritant d'un passé militaire... Les pluies qui effacent la fertilité du sol... La beauté des verts, la profondeur des gris... L'absence du désert dans la région où je me trouvais... Je crois avoir réussi à faire passer dans ce film la très grande émotion que l'Éthiopie m'a fait vivre.

Il y a aussi mon film avec Alejandro, *Pensées et écrits,* que j'aime beaucoup. J'avais l'impression d'avoir vécu une rencontre avec moi-même, tellement on se ressemblait tous les deux par certains côtés. On venait d'un milieu et d'un pays tellement différents, mais on était très près l'un de l'autre par nos goûts, nos passions et nos valeurs.

Tu étais très ému lors du Gala de la Course. Qu'est-ce qui te passait par la tête?

Le fait de visionner mon bilan m'a vraiment ému. Je crois avoir réussi à y dire exactement ce que je ressentais. Je remerciais le destin de m'avoir fait petit pour laisser toute la place à ceux que j'avais rencontrés. J'y ai revu Alejandro, du Chili, la vieille Cambodgienne, le petit Indien Raoul, qui tassait du foin, mon petit berger éthiopien, ma grand-mère indienne. Toutes ces rencontres ont été pour moi des grands cris du cœur. Les gens dans la salle ont vraiment bien accueilli mon film et cela répondait à la question que je me suis posée pendant la Course: « Est-ce que les gens me comprennent? » J'en ai eu la confirmation ce soir-là. Après le Gala, certaines personnes sont venues me voir pour me dire: « Reste comme tu es et garde ta voix. » Quel beau cadeau!

Il y avait aussi, bien sûr, le fait que c'était la fin de la Course. Un point final à une introduction. L'introduction à l'écriture à l'aide de la caméra. J'espère pouvoir refaire cette expérience, même si ce n'est pas vraiment un but précis pour moi. Je mettais aussi un point à une gamme très dense d'émotions et de connaissances acquises au cours de ces six mois. Je savais que j'étais maintenant rendu à l'étape de la digestion. Digestion lente, selon les souvenirs qui monteront à la surface ou les rencontres

1

❶ Pierre Deslandes
Visages du Turkestan chinois, cette région à l'extrême ouest de la Chine, où vivent les Ouzbecks, les Tadjicks, les Ouigours, plus proches des cultures des peuples d'Asie centrale que du reste de la Chine.

❷ Simon Dallaire
25 décembre 1992, Noël, Bangladesh. Lors du tournage d'un film incompris : le bon Dieu, un soupçon d'astronomie, l'argent et les femmes.

1

2

❶ **Manuel Foglia**
Kutbal, Pakistan.
Même très pauvre, le Pakistan nous offre son charme bucolique. Deux travailleurs des fours à briques de Kutbal, d'origine patan, me sourient, un colt 45 camouflé sous leur chemise.

❷ **Manuel Foglia**
Marché aux bestiaux, Le Caire, Égypte. Émission n° 18 : « Des chameaux... Mais non, ce sont des dromadaires... Je lui donne 12... » (Catherine Saôutard, linguiste, UQAM) Quelle sotte cette linguiste, s'exprimant en termes prétentieux et définitifs. Elle faisait trop d'efforts pour étaler une érudition complaisante. Tant pis pour elle ; le *Petit Robert* me donne raison : « Dromadaire ou chameau à une bosse. » Tralala la la lère...

❸ **Philippe Falardeau**
Tunis, Tunésie. Ruelle du labyrinthe de la Medina. On ne demande pas mieux que de s'y perdre.

3

que je ferai de jour en jour. Je savais aussi que je ne pourrais peut-être plus retrouver la solitude que j'ai tant appréciée pendant la Course. J'ai toujours aimé la solitude et je m'en suis fait une vraie alliée pendant ce voyage. Elle m'a apporté une grande liberté et ce n'est souvent que grâce à elle que je réussissais à aller dans les émotions extrêmes, que ce soit des hauts ou des bas, pour ensuite revenir au juste milieu, me reposer, avant de repartir vers d'autres extrêmes.

Après ce long voyage, as-tu toujours envie de devenir journaliste?

J'ai envie d'écrire, ça c'est sûr. Je ne sais pas si j'ai le talent pour le faire, mais j'aimerais bien. J'ai envie de dire des choses. J'ai une vision différente de la vie que j'ai le goût de partager. Écrire, ce peut être en tant que journaliste, qu'écrivain de pièces de théâtre, de biographies, etc. Alors, oui, je veux faire du journalisme, parce que c'est une très bonne porte d'entrée pour le reste, mais c'est avec mes couilles et mes convictions que j'ai envie d'en faire. Le journalisme de «prestige», pour vanter tel annonceur ou commanditaire, ne me tente pas. Ce serait plutôt un journalisme d'enquête qui me permettrait de continuer à apprendre, à chercher, à comprendre, à analyser et à découvrir ce qui m'entoure. Je n'ai pas de plan de carrière et ne suis pas carriériste. Le journalisme me permettra, par contre, de m'intéresser à un maximum de domaines, que ce soit les arts, les sciences, la politique, l'économie, etc. Toujours continuer à m'interroger et à apprendre, voilà ce qui est important pour moi. Et aussi, faire confiance au destin car, jusqu'à maintenant, il s'est drôlement bien occupé de moi!

❷ Musée de la torture, **Phnom Penh**. STOP. Je tremble des atrocités d'hier. STOP. Une larme sèche devant un sourire radieux. STOP. Je t'aime maman. STOP.

Dé-Lyre

Il y avait du hasard, et de la poésie...

Note : Ce texte est clair autant qu'obscur. J'y ai semé des fondus malhabiles que vous aurez peut-être le goût d'enchaîner. Je me suis exercé au désordre pour ne pas vous perdre. Pour peu que vous ayez souri aux bouts de vie que je vous ai largués pendant six mois, voici un échantillon du plaisir d'être triste.

Il m'a fallu ne pas savoir pour essayer d'apprendre.

Debout, les pieds ne touchant plus le sol, mon corps est en suspension, flottant sur l'époque comme sur le devenir. Des milliers d'autoroutes foncent sur moi et me traversent. Je suis vide des tunnels qui prolongent ces chemins à jamais inscrits sur le pays de ma mémoire. Des sculpteurs de destin m'ont pris pour matériel. Des personnes m'ont prêté leur regard en plongeant dans le mien. Les trous qu'elles ont laissés sont pleins de miettes de sentiment. Plus j'explore ces nouvelles cavités qui ont pris place en moi, plus je me nourris de leur absence. Ces personnes ne m'ont pas choisi. Elles m'ont à peine connu. Quand je leur ai offert une place dans ma prison rétinienne, elles ont accepté sans trop comprendre. Sans trop comprendre qu'elles devenaient des chansons, des bouts de phrases, des rides en deux dimensions, du miel sur la langue. Ce nectar, je l'ai bu en direct. D'autres, en studio, en ont été malades.

Je me sens comme le vieux prospecteur qui a cherché toute sa vie le filon qui ferait sa fortune. Beaucoup le ridiculisent. Ils ont fait le deuil de leurs rêves. Ils ont joué à se prendre au sérieux depuis que la vie leur a décerné leur diplôme d'adulte à temps plein. Seul ce vieux fou de prospecteur continue de parler avec les épinettes, que demain il réussira à cracher encore plus loin. De ses mains est apparu un véhicule étrange lui permettant de se lancer sur les autoroutes...

Ils ne parlaient pas. Ils se levaient toujours très tôt pour effacer toute trace de modernité. Leur plus grande maîtrise, l'absence de couleur. Leur choix : le gris et le vert. Les Éthiopiens m'ont transpercé avec leur regard droit, d'une froide beauté. Les morceaux du pays Welo, qui dégoulinent le long des murs du tunnel traversant mon estomac, me jettent un goût d'Afrique. Le temps n'y est pas perdu à vérifier des intentions. On sait, par le ton et le regard, si elles sont de vérité ou de commerce. Pour le peu qu'on se présente avec une éthique honnête, les Africains restent peu longtemps étrangers. Et fleurissent les amitiés. Mais comme trop souvent la langue est mercantile, le risque que la recherche du Bien se transforme en recherche de biens, croît au fur et à mesure que s'occidentalise ce continent...

Trop sérieux me direz-vous ? Excusez-moi de respecter votre intelligence.

Ça a piqué un peu au début. Maintenant, ça va mieux, la réception est meilleure. Les peurs se sont unies pour dynamiter un passage. Un autre tunnel aboutissant au creux de ma moelle épinière. La peur de ne pas poser les bonnes questions ; celle de faire toujours le même film avec différents personnages ; celle de dire sans écouter ; la peur tout court. Pour ne pas qu'elle soit en reste, les géographes ont cru bon d'accoler au Nord de l'Afrique, un Sud. C'est lui qui m'a fait très peur. Un peu à cause de la violence quotidienne, c'est certain. Mais surtout à cause du malaise que j'ai ressenti à être Blanc. Je ne peux rien y faire, je le suis de naissance. Du moins, c'est ce que ma mère m'a toujours dit. Ai-je pâli sous l'effet de cette peur de découvrir, ou plutôt de sentir, que l'humain s'ingénie à casser de l'humain ? Probablement. Il semble y avoir des autoroutes à sens unique. Je regarde mes pieds au-dessus de rien. Les lumières, s'alignant sur les chemins qui me traversent, scintillent de noirceur. Je refuse toujours de voir implanter des postes à péage sur mes souvenirs...

Des bouts de papier neigent sur mon passé immédiat : la connaissance de l'homme est scientifique, la lecture de son environnement social doit être poétique. Le chef du village m'a offert un deuxième verre d'orangeade après avoir servi tout le monde, sauf lui. J'ai accepté. Ensuite, je lui ai offert à mon tour. Il a souri. Il a accepté. Au miroir de son savoir-vivre reflète mon respect. J'ai grandi aujourd'hui. Un peintre canadien demeurant à Jakarta m'a parlé d'économie. Pourquoi la croissance économique doit-elle toujours être positive ? N'est-ce pas positif, qu'un pays arrivé à un certain degré de développement industriel ait une croissance zéro ? De là à ce que je me mette à rêver que les énergies humaines, gaspillées pour que la croissance économique soit positive, servent d'autres nations... Ces flocons se sont parfois posés tout doucement sur ma mémoire. En d'autres occasions, ils ont invité le vent pour que la fête finisse en tempête. De ces routes s'appuyant sur mes côtes et contournant mes organes, certaines resteront enneigées. Je ne peux pas toutes vous les dévoiler...

Des kilomètres et des kilomètres ont caressé mes souliers pour m'offrir du cinéma à chaque détour. Des fractions de 4 minutes à vous livrer durant 26 semaines. Mises bout à bout, ces fractions forment un semblant de famille planétaire. Égoïstement, je conserve tous les raccords des histoires nées de mon intrusion *occidentalo-let's-make-a-film* dans les divers pays que j'ai visités. Le plus loin où je peux m'aventurer, c'est en vous disant que partout... il y avait du hasard et de la poésie.

Marc Roberge

LA COURSE
DESTINATION MONDE
1993-1994

INTRODUCTION
LA PLANÈTE LEUR APPARTIENT

La sélection des huit partants est un processus qui dure deux mois. C'est beaucoup et très peu à la fois pour décider du choix de ceux et celles qui feront l'émission de la Course Destination Monde 1993-1994.

Fin avril, 328 dossiers se trouvent sur mon bureau. Une équipe va s'isoler pendant trois semaines pour les lire : environ 20 dossiers par jour ; des journées qui font facilement dix heures. Trois cent vingt-huit vies défilent sous nos yeux, une image précise d'une certaine jeunesse pleine d'idéaux et de talents. Pas de quoi désespérer, comme le laisse trop souvent entendre les journaux. Majoritairement des étudiants, des décrocheurs qui font leur chemin, quelques-uns qui entament leur vie professionnelle. Beaucoup n'ont jamais voyagé ni tourné de reportages, mais plusieurs ont découvert la richesse de leur langue, souvent grâce à un professeur de français qui a su leur communiquer l'importance des mots. Savoir écrire est la base de tout. Avoir un style, être en mesure d'exprimer de façon claire et personnelle sa pensée, pouvoir suggérer, émouvoir et faire rire sont des atouts indispensables pour faire la Course. Au-delà des faits qui parsèment une vie, nous cherchons d'abord des personnalités – en devenir bien sûr – mais dont les ferments sont bien implantés et n'attendent que le signal pour éclore.

Parallèlement, une autre équipe visionne les vidéos. On y voit de tout... et est-ce cruel de dire la vérité ? La majorité d'entre eux reste des essais bien louables, mais pas très convaincants ni prometteurs, même pour un premier film. Les bons sujets se comptent sur les doigts d'une seule main, et les quelques collègues curieux, qui passent quelques heures au bureau pour voir ces films, en ressortent toujours abasourdis avec au bout des lèvres cette pensée : « Mais, comment faites-vous pour faire une émission de télévision en partant de si loin ? » Il faut y croire, croire à la faculté d'apprentissage de ces jeunes, à leur don d'apprendre une technique et de maîtriser un médium, qui nous semble pourtant si simple, car si ancré dans nos quotidiens. Rappelez-vous, pour ne nommer que ceux-là, Marc Forget, Sophie Lambert, Philippe Falardeau... Ils n'avaient jamais touché à une caméra ; leurs films de dossier ne laissaient pas présager de grand talent... dont ils ont pourtant fait preuve durant la Course.

Les entrevues tentent de vérifier ce que le dossier écrit et le vidéo promettaient. C'est aux aspirants coureurs de jouer, de nous séduire sans masque ni filet. Quinze d'entre eux feront partie des sélections finales. Ariane Émond, Jean Barbe, René Homier-Roy et moi-même étions du jury pour le choix des huit partants de cette année. Après un mois à courtiser le rêve, à se donner à plein dans la réalisation de deux reportages, la décision du jury tombe comme une guillotine. L'épreuve est terrible et fait mal. Plusieurs ne partiront pas... Quant aux huit élus, l'été est un feu de paille où chacun essaie de se préparer. Encore là, on part de très loin...
La planète leur appartient. Mais que connaît-on du monde à 24 ans, à part quelques rêves d'enfance ou quelques lectures ? La plupart du temps, c'est par instinct qu'ils choisissent leurs destinations. Tout au long de l'année, nous assisterons à la rencontre de huit nouveaux candidats avec le monde, à cette confrontation entre ce qu'ils sont, ce qu'ils voient et ce qu'ils vivent. Ils ont pour prénom : Marie-France, Marie-Julie, Isabelle, Chloé, Guy, Félix Phuc, Stéphane et Michelle. Ils ont pris l'habitude de dire que leur groupe est composé de cinq filles, un Vietnamien et une minorité visible : deux gars !

Marie-France Bojanowski a 24 ans. Née près de Chicago de père polonais, élevé à Québec, elle a étudié en design industriel. Grande, posée, elle a au fond des yeux cette force tranquille de l'intelligence et de la curiosité qui va au-delà des apparences.

Marie-Julie Dallaire a 23 ans. Toute menue, les yeux rieurs et tout un tempérament ! Elle a étudié en cinéma.

Avec son air grave, on se surprend à la voir, tout à coup, éclater de rire, presque gênée d'avoir attiré l'attention... Isabelle Leblanc a 25 ans, elle est comédienne et en était à sa deuxième tentative à la Course. Derrière ce visage de petite fille un peu triste se cache un être enjoué et sensible qui mord à pleines dents dans la vie !

Chloé Mercier a 22 ans et a étudié en cinéma. Il ne faut pas se laisser tromper par sa petite voix de fillette ; elle a cette ténacité qui la mène où elle veut et sa plus belle arme reste la spontanéité.

Il a toujours un sourire accroché au milieu du visage... c'est mon éternel optimiste ! Guy Nantel a 24 ans et l'École nationale de l'humour derrière lui. Chaleureux, persévérant (c'est la deuxième fois qu'il se présentait à la Course), il a toujours le mot pour rire !

Après un mois de pratique, je commence à être capable de bien prononcer son nom : Félix Phuc Nguyen-Tân. Né à Toronto de parents vietnamiens, ce jeune de 24 ans est médecin. Il lui prend souvent de longues quintes de rire... peut-être pour compenser une sensibilité à fleur de peau.

Il peut faire peur, si vous ne le connaissez pas, tellement il semble déchiré par l'angoisse, non pas de vivre mais de ne pas tout saisir... Stéphane Prévost est né à Québec, il a 25 ans et a étudié en biologie moléculaire. Il frappe par son intensité !

La discrétion, la douceur et la gentillesse même. Michelle Widmann est née au Massachussets et a vécu à Sherbrooke. Elle étudie en anthropologie et en photographie. Derrière les apparences, il y a une jeune fille en quête d'affirmation, qui a tous les atouts pour nous étonner : l'intégrité, l'intelligence et la sensibilité.

C'est une belle équipe qui promet déjà de nous surprendre, de nous émerveiller, de nous émouvoir, de nous faire réfléchir et voyager tout au long de l'émission, grâce aux quelque 160 films qu'ils nous feront parvenir des quatre coins du monde. Je leur souhaite, ainsi qu'à nous tous, un bon voyage !

Jean-Louis Boudou

Quelques mots des anciens aux nouveaux

Se fier à ses instincts. Emporter avec soi l'encyclopédie *Universalis*. Un conseil de Sophie Lambert... Les semaines qui précèdent le départ sont importantes.
Sophie Bolduc

Apprendre à rire de soi-même et, surtout, des juges!
Simon Dallaire

Rencontrez des gens avec qui vous vous sentez bien. Essayez de faire un film avec eux, au lieu de courir après un sujet trop grand. Réagir!
Patrick Demers

La terre était devenue un grand terrain de jeu. L'univers conquis pour mes jeux d'enfant. Il n'y avait plus de fortune, plus même de limites intérieures. La Course est cette grande montagne russe avec des hauts très hauts et des bas très bas. Le manège va trop vite pour que nous puissions débarquer et s'arrêter brusquement. Alors, gare au retour!
Pierre Deslandes

Ne regardez jamais au-dessus de votre épaule, exorcisez le conditionnel et, surtout, si un homme suspect et vicieux vous offre des bonbons et vous invite à le suivre... Allez-y!
Philippe Falardeau

Ouvrez grands vos yeux, vos oreilles, vos narines. Laissez passer ça par votre cœur et votre cerveau et imprimez ça sur vidéo.
Manuel Foglia

On vit des choses si extraordinaires, on pense de façon si grandiose, je veux dire, on est de tels génies... On a cependant de telles difficultés à le transmettre.
Violaine Gagnon

Mettre de côté les contraintes de temps, de logistique, d'autocensure. Rouler le pied dans le radiateur!
Marc Roberge

PASSEPORT POUR 182 JOURS D'AVENTURE

Nom
MARIE-FRANCE BOJANOWSKI

Date et lieu de naissance
5 SEPTEMBRE 1968 À URBANNA, ILLINOIS

Études
BACCALAURÉAT EN DESIGN INDUSTRIEL DE L'UNIVERSITÉ DE MONTRÉAL

Aimerait être
JEAN-BAPTISTE GRENOUILLE

Pourquoi La Course
« LA COURSE ME HANTE, LA COURSE M'HABITE. C'EST UN DÉFI DE M'OUVRIR TOUT ENTIÈRE AU MONDE QUI ME RENDRA SI PETITE QUE JE M'Y DILUERAI POUR CONTEMPLER ET RENDRE CONCRET MON REGARD SUR LES GENS, LES ESPACES, LES LUMIÈRES, LES ODEURS ET LES SONS. »

Voyages
ÉTATS-UNIS, FRANCE, BELGIQUE, HOLLANDE, SUISSE, ESPAGNE, MAROC

PASSEPORT POUR 182 JOURS D'AVENTURE

Nom
MARIE-JULIE DALLAIRE

Date et lieu de naissance
12 MARS 1970 À MONTRÉAL

Études
BACCALAURÉAT EN CINÉMA DE L'UNIVERSITÉ CONCORDIA

Aimerait être
SNOOPY

Pourquoi La Course
« DERNIÈREMENT, JE ME SUIS RETROUVÉE AU VAL-DE-TRAVERS, EN SUISSE, À ME SAOULER À L'ABSINTHE. ÇA M'A RENDUE COMPLÈTEMENT FOLLE ET C'EST LÀ QUE J'AI RESSENTI POUR LA PREMIÈRE FOIS L'ENVIE DE FAIRE LA COURSE. »

Voyages
OLD ORCHARD BEACH (TOUS LES ÉTÉS DE 2 À 12 ANS), MAGOG, CAPE COD, NEW YORK, RÉPUBLIQUE DOMINICAINE, FRANCE, SUISSE

PASSEPORT POUR 182 JOURS D'AVENTURE

Nom
ISABELLE LEBLANC

Date et lieu de naissance
30 NOVEMBRE 1967 À MONTRÉAL

Études
DIPLÔMÉE DE L'ÉCOLE NATIONALE DE THÉÂTRE DU CANADA (SECTION INTERPRÉTATION)

Aimerait être
TARTARIN DE TARASCON

Pourquoi La Course
« PARCE QU'IL Y A EN MOI UN VIDE CRÉÉ PAR MON SILENCE ET CELUI DU MONDE. JE SOUHAITE LA RENCONTRE. UN FACE À FACE ULTIME. ET POUR CELA, JE DOIS PARTIR. MA COUR EST DEVENUE TROP PETITE, L'INTIMITÉ DE MA NUIT TROP PASSIVE. »

Voyages
FRANCE, BELGIQUE, OUEST CANADIEN

PASSEPORT POUR 182 JOURS D'AVENTURE

Nom
CHLOË MERCIER

Date et lieu de naissance
7 AVRIL 1971 À MONTRÉAL

Études
ÉTUDES EN CINÉMA À L'UNIVERSITÉ DE MONTRÉAL

Aimerait être
JEANNE D'ARC

Pourquoi La Course
« J'AI ACHETÉ UNE VIEILLE LAMPE CHEZ L'ANTIQUAIRE DU COIN. ELLE AVAIT UN ASPECT TRÈS BANAL. SON CUIVRE TERNI ÉTAIT RECOUVERT D'UNE COUCHE POUSSIÉREUSE. ARMÉE D'UN MORCEAU DE COTON, JE ME MIS À LA FROTTER. DANS UN NUAGE ÉPAIS, UN GÉNIE COIFFÉ D'UN GROS TURBAN EN SORTIT AUSSITÔT. BIEN ENTENDU, IL ME DEMANDA QUEL ÉTAIT MON RÊVE LE PLUS CHER. VOILÀ, VOUS CONNAÎTREZ LA SUITE BIENTÔT... »

Voyages
JAMAÏQUE, MEXIQUE, VENEZUELA, FRANCE

PASSEPORT POUR 182 JOURS D'AVENTURE

Nom
GUY NANTEL

Date et lieu de naissance
20 SEPTEMBRE 1968 À MONTRÉAL

Études
DIPLÔMÉ DE L'ÉCOLE NATIONALE DE L'HUMOUR

Aimerait être
HEUREUX OU YVON DESCHAMPS

Pourquoi La Course
« À CETTE QUESTION JE RÉPONDRAIS "PARCE QUE J'Y CROIS" ET ÇA ME SEMBLERAIT SUFFISANT. »

Voyages
BELGIQUE, FRANCE, SUISSE, PAYS-BAS, ALLEMAGNE, LUXEMBOURG, HARLEM, WILDWOOD, LAVAL

PASSEPORT POUR 182 JOURS D'AVENTURE

Nom
FÉLIX PHUC NGUYEN-TÂN

Date et lieu de naissance
2 AVRIL 1969 À TORONTO

Études
DOCTORAT EN MÉDECINE DE L'UNIVERSITÉ McGILL

Aimerait être
CALVIN DE *CALVIN AND HOBBES*

Pourquoi La Course
« J'AI CONTINUELLEMENT CHERCHÉ À OUVRIR MON ESPRIT, QUE CE SOIT PAR MES ACTIVITÉS, MES FRÉQUENTATIONS; POUR MOI, LA MÉDECINE ÉTAIT UNE FENÊTRE SUR LE MONDE. LA COURSE, C'EST LE MONDE. »

Voyages
MOSCOU, VIÊT-NAM, FRANCE, ITALIE, ALLEMAGNE, BELGIQUE, CALIFORNIE

PASSEPORT POUR 182 JOURS D'AVENTURE

Nom
STÉPHANE PRÉVOST

Date et lieu de naissance
14 DÉCEMBRE 1967 À MONTRÉAL

Études
MAÎTRISE EN BIOLOGIE MOLÉCULAIRE DE L'UNIVERSITÉ LAVAL

Aimerait être
UN ANGE

Pourquoi La Course
« POUR APPRIVOISER L'HÔTEL ET LA GARE, LE FONCTIONNAIRE, LE MALAISE ET LA POUSSIÈRE. POUR CET ART DE LA VITESSE: CONSTRUIRE DES FILMS SI PARTICULIERS, IRREMPLAÇABLES, ET LES PRÉSENTER RAPIDEMENT. »

Voyages
NEW YORK, INUVIK, PAYS DE GALLES, SICILE, AUTRICHE

PASSEPORT POUR 182 JOURS D'AVENTURE

Nom
MICHELLE WIDMANN

Date et lieu de naissance
22 AVRIL 1971 À HYANNIS PORT, MASSACHUSETTS

Études
ÉTUDES EN PHOTOGRAPHIE À L'UNIVERSITÉ CONCORDIA

Aimerait être
HENRI DAVID THOREAU

Pourquoi La Course
« POUR RENCONTRER DES GENS, ÉCOUTER CE QU'ILS ONT À DIRE, RESPECTER CE QU'ILS SONT, ET ESSAYER DE COMMUNIQUER AVEC EUX, NE SERAIT-CE QUE PAR LA FORCE D'UN SOURIRE. »

Voyages
CÔTE EST DES ÉTATS-UNIS, BAHAMAS, FRANCE, SUISSE, ITALIE

AUTOPORTRAITS
L'OUVERTURE D'ESPRIT

Marie-France Bojanowski

J'aime les gens. Quoique timide quelquefois, j'ai le contact facile et je cherche à connaître les personnes qui m'intriguent, m'intéressent ou m'exaspèrent (car les gens qui me dérangent ont souvent des affinités assez fortes avec moi, ce qui peut paraître plutôt paradoxal). J'aspire à pousser le plus loin possible mes passions. Ma créativité, mon ardeur au travail et ma force de caractère me rendent très exigeante face à moi-même et je veux toujours aller plus loin.

À mon avis, la qualité qui peut enrichir une relation est l'ouverture d'esprit (que je considère avoir). La personnalité, les goûts, l'éducation, la culture ne sont pas nécessairement des barrières lorsqu'une personne s'ouvre aux idées de l'autre et qu'elle ne prend pas sa propre culture comme unique système de référence. La personne centrée sur elle-même et égoïste engendre un inconfort chez moi, car je ne sens pas qu'une relation avec elle soit possible à parts égales. J'ai toujours appris à partager ce qui m'appartient et à ne pas me gêner pour rendre service. Si ce n'est pas réciproque, une des deux personnes fait souvent le compromis, et l'inconfort s'accumule. Toutefois, je crois quand même avoir une bonne tolérance envers une telle attitude, parce que j'apprécie qu'on ait le même égard envers moi par rapport à d'autres défauts que j'ai. Car (déception éventuelle du lecteur), je ne suis pas parfaite. Mais voilà, on ne maîtrise pas toute sa personne et il faut des défauts pour mettre en valeur ses qualités, sinon...

Marie-Julie Dallaire

J'ai un nez de chien, des yeux de grenouille, des jambes de flamant rose et une tête de cochon. Je suis extravertie et secrète en même temps. J'aime ou je hais : passionnée ? Un peu radicale même. Pour moi, ça va ensemble. C'est ou noir ou blanc. Pourtant, j'hésite souvent entre deux alternatives ce qui est plutôt gris comme comportement. Cette dualité est apparemment due à mon signe zodiaque, le poisson, qui est un signe double. Un signe d'eau aussi. Je suis le parfait poisson tel qu'on le décrit :

dans l'eau par-dessus la tête, je rêve et je rêve. Insaisissable, je glisse entre les mains des gens qui essaient de me capturer. J'aime la vie, je la trouve belle (pas partout et pas pour tout le monde), j'en profite. Comme disait Épicure : « Dépêchons-nous de succomber à la tentation avant qu'elle ne s'éloigne. »

Isabelle Leblanc

je suis isabelle
je suis une fille
je suis tête de mule
je suis ni vue ni connue

j'ai 25 ans
j'ai un chat
j'ai des répliques
j'ai deux yeux tant mieux

j'aime le chocolat
j'aime les pingouins
j'aime les garçons
j'aime la lune

je veux partir
je veux savoir
je veux
je veux souffler les bougies

je crois que les pingouins sont très drôles
je crois à la musique
je crois au marchand de sable
je crois qu'un jour les poules auront des dents.

Chloé Mercier

Je suis petite avec les yeux verts et je suis née sous le signe du bélier. J'aime beaucoup la crème glacée et le cinéma. Je suis perfectionniste. Je veux comprendre : quand mes connaissances ne sont pas assez développées pour comprendre un principe, je regrette d'avoir quitté l'école l'an dernier. J'aimerais tout savoir, tout connaître.

Je suis fonceuse, mécanicienne; quand le grille-pain ne fonctionne plus, je le démonte et je le répare. Je suis très maternelle, je suis une mère pour bien des gens qui m'entourent, y compris ma mère et mon père. Je suis méthodique, pour être plus juste, je dirais que j'aime la méthode. Je m'intéresse à la photographie. J'ai fait une série de portraits sur les commerçants de mon quartier dans leur magasin, leur univers. J'ai un chat, un gros matou noir. Je m'intéresse aux choses très banales de la vie. Je peux m'émerveiller longuement devant une roche ou encore m'exclamer de joie parce que les bourgeons ont éclos. J'aime aussi bien la complexité, surtout pour les situations...

Pour donner un bon rendement, j'aime être sous l'effet du stress. Entendons-nous: un bon stress, celui qui fait avancer. J'ai besoin d'avoir des journées remplies, sinon je me sens inintéressante.

Sans trop vouloir plaire dans les circonstances actuelles, je vous avoue sincèrement que mon rêve le plus cher est de me trouver quelque part en Asie, peut-être à Pékin ou à Katmandou, avec une bonne paire de souliers et un sac à dos. Les chaussures, je les ai déjà, le sac aussi; quant au voyage, l'âme est déjà rendue sur place, il ne reste plus qu'à y expédier le corps...

Guy Nantel

M. Boudou: « Guy, peux-tu me faire un portrait de toi en quelques lignes? »

Guy: (dessin ci-joint)

M. Boudou: Tu aurais avantage à utiliser des mots. Ainsi tu tentes ta chance de nouveau? On t'avait pourtant refusé l'année dernière.

Guy: C'est vrai, monsieur Boudou, mais l'erreur est humaine. Voilà pourquoi je vous donne une seconde chance.

M. Boudou: Tu es un drôle de gars!

Guy: Merci. Tu sais, Jean-Louis, il est difficile de vivre pleinement sur cette terre. Quand on a la santé, on n'a pas l'argent. Quand on a l'argent, on n'a pas le temps. Et lorsqu'on a enfin le temps, on n'a plus la santé. Mais à deux, on fait la paire. Je vous offre le temps et la santé, et vous, vous ne m'offrez que l'argent. C'est du 2 pour 1.

M. Boudou : Tu es généreux. Mais pour faire la Course, il ne suffit pas d'être drôle et généreux. Il faut une certaine profondeur et je ne pense pas que...

Guy : (l'interrompant et prenant soudainement une voix grave) Tel un funambule sans filet, je traverserai un désert à la nage afin d'aborder les antipodes de mon être et cueillerai le doux cépage de la vie futile et mensongère.

M. Boudou : (très ému) Tu es très... poétique.

Guy : Drôle, généreux et poétique. À cela, tu peux ajouter : sympathique, affectueux, courtois, doux, propre et obéissant. En plus, je fais un drôle de bruit avec mon nez que je te ferai entendre si tu m'invites à l'entrevue. *It's a deal?*

M. Boudou : *It's a deal!* Je te rappelle au mois de mai. (M. Boudou esquissa son plus beau sourire, visiblement fier de sa décision.)

N.B. : Les personnages de cette histoire sont purement fictifs et toute ressemblance avec des personnages réels serait pure coïncidence.

Félix Phuc Nguyen-Tân

Ce qui me caractérise le plus, c'est mon ouverture d'esprit. Mon bagage culturel, mon apparence physique, mes expériences passées m'ont fait connaître un mode de vie qui m'a permis d'échapper à un moule contraignant. Cette ouverture d'esprit m'a permis d'essayer plusieurs sports, de connaître divers styles musicaux, de découvrir le théâtre, la radio, le dessin, de voyager, d'avoir des amis aussi différents de par leurs intérêts que de par leur personnalité.

J'adore le contact humain. Être à l'écoute des gens est, je crois, une de mes grandes forces qui m'ont aidé à réussir ma médecine. Il y a de plus ce côté enfantin, chez moi, qui s'émerveille devant tout. Comme un « flo » assis aux pieds de sa gardienne, je prends grand plaisir à me laisser emporter par l'histoire des gens qui m'entourent : les contes russes de ma copine, les mille et une péripéties de Dylan, les débauches amoureuses de Pierre-Luc...

J'ai toujours été à la recherche de la passion, de moments intenses. Je suis fougueux, impulsif et me donne à fond pour les gens et les projets qui me tiennent à cœur. Je suis aussi responsable et maîtrise bien les situations de stress. J'aime rire, raconter des histoires invraisemblables, perdre mon temps à « philosopher » sur des trucs incroyables... Bref, j'aime la vie.

Stéphane Prévost

Je suis un mélange, une ambiguïté, des paradoxes. J'associe sensibilité et réserve, prudence et indifférence souriante, nervosité primaire et calme, athéisme profond et émerveillement, rêvasserie et action... et bien d'autres, car mon caractère entier témoigne de telles ambivalences.

Je suis solide, capable de sacrifices physiques (quand il faut, il faut) et je prends la vie comme elle vient, ce qui m'empêche bien souvent d'avoir peur.

Important: J'aime ce qui est sombre, gris, noir, froid, ancien, mort, loin, inconnu, invisible, effrayant... je ne sais pourquoi. Heureusement, je combats cette attirance par la fantaisie, l'incongru, la joie.

Michelle Widmann

Ne me cherchez pas parmi la foule, car je l'évite comme la peste. Je préfère la discrétion à la démonstration et j'apprécie la simplicité avant toute chose. Je recherche l'intimité dans mes relations et la transparence dans mes échanges avec les autres. Habitée d'une curiosité intellectuelle, j'aime aller au fond des choses.

Je développe un esprit critique par rapport à la société et ses rouages. C'est une question de santé mentale pour moi. Devant les situations absurdes, j'ai même tendance à être un peu rebelle. En fait, je pense que j'accepte plus facilement la différence dans les autres cultures que les perfidies de la mienne. Je l'avoue, je fais souvent de l'ethnocentrisme inversé.

Je dis bonjour au chauffeur en montant dans l'autobus et je souris aux gens.

Je suis une personne d'idées et de projets, un peu rêveuse, mais jamais oisive. J'ai appris à ne rien prendre pour acquis, à ne pas convoiter la médaille avant d'avoir franchi la ligne d'arrivée. Cette conscience me pousse à toujours donner le maximum de moi-même dans tout ce que j'entreprends. J'ai de l'ambition et n'ai pas froid aux yeux.

Ma liberté s'arrête là où celle de l'autre commence.

QUI
ÊTES-VOUS ?

Êtes-vous satisfait(e) de votre sort ?

Marie-France : Oui. Je vis avec deux amies fantastiques et deux chats un peu fous. Je suis en amour, mon amoureux est génial et la routine ne fait pas encore partie de ma vie. Que demander de plus ? Un petit voyage autour du monde peut-être... ?

Marie-Julie : Je suis une éternelle insatisfaite, il m'arrive d'être contente de ce que je fais, mais je ne suis jamais satisfaite. Le jour où je le serai, je mourrai. Je sais pertinemment que je mourrai avant. Une chance ! J'en reviens pas qu'il y ait des gens satisfaits sur la terre.

Isabelle : Non, je ne le suis pas.

Chloé : Oui, tout à fait, même que je trouve la vie plus facile que ce que j'imaginais.

Guy : Oui.

Félix Phuc : Oui. Je sors avec la femme de mes rêves, j'achève ma médecine, je crois avoir trouvé ma passion, je suis entouré de merveilleux copains et ma famille se porte bien. Il manque juste la Course !

Stéphane : Oui, non, oui, non, oui, non.

Michelle : Oui. Je crois que le bonheur est avant tout un état d'esprit.

Quelle qualité essentielle vous reconnaissez-vous ?

Marie-France : Je suis perfectionniste et orgueilleuse : deux qualités quand on veut pousser au maximum, mais qui peuvent facilement devenir de gros défauts... J'ai une bonne ouverture d'esprit et suis toujours prête à tenter de connaître de quelqu'un. J'aime les gens.

Marie-Julie : « C'est pas pour me vanter mais j'ai un d'mes amis : c't'un ben bon gars ! » (Paul & Paul) Je suis passionnée, je pense que c'est une qualité quand les autres en profitent.

Isabelle: La combativité.

Chloé: Je suis très débrouillarde.

Guy: En voyage, et dans la vie en général, il faut savoir abandonner ses jugements rédhibitoires et s'adapter à un nouvel univers. Je crois posséder cette faculté d'adaptation. J'aime les gens de tous les âges, de toutes les classes sociales et de toutes les nationalités. Je peux vivre aussi bien dans le Bronx que sur une île déserte.

Félix Phuc: Généreux.

Stéphane: J'ose dire: mon esprit qui travaille à faire des liens, sans arrêt.

Michelle: La sensibilité aux autres.

Quel est votre principal défaut?

Marie-France: J'aime avoir raison, ce qui peut être très chiant... J'ai aussi tendance à prendre beaucoup de place au sein d'un groupe.

Marie-Julie: Je ne sais pas lequel choisir. Je suis impulsive et exigeante. Envers moi, c'est mon problème; mais envers les autres, c'est plus délicat.

Isabelle: « Moi, je veux tout, tout de suite, et que cela soit entier ou alors je refuse! Je veux être sûre de tout aujourd'hui, et que cela soit aussi beau que quand j'étais toute petite – ou mourir. » (Anouilh, *Antigone,* p. 101.) Moi, j'appelle ça un sale caractère.

Chloé: Je suis trop impulsive.

Guy: Je n'aime pas le mot défaut. C'est un mot que j'associe aux machines mais pas aux humains. Parlons plutôt de « qualité nuisible ». Disons que je suis distrait de nature.

Félix Phuc: La gourmandise et, comme Einstein, j'ai besoin de dormir pour fonctionner!

Stéphane: J'avoue: je fais mal ce qui m'ennuie.

Michelle: Je suis souvent dans l'insécurité face à ce que je fais. Sans manquer d'audace, je n'ai pas toujours confiance en moi-même.

Lisez-vous beaucoup ? Quel genre d'ouvrages ? Quels sont vos auteurs préférés ?

Marie-France : Je ne lis pas beaucoup, du moins plus beaucoup. Je me le reproche sans cesse. Et tout va trop vite : l'ère du livre cède la place à celle de l'information sonore et télévisuelle. On veut tout faire, tout goûter mais le temps manque ! Les ouvrages que je traverse ces temps-ci sont plutôt théoriques que fictionnels ou poétiques : publications d'art, de géographie, d'actualité. J'attrape, de temps en temps, des romans pour me lancer dans cet imaginaire qu'offrent les mots : Kundera, Umberto Eco, Suskind, Paul Éluard.

Marie-Julie : Je lis très peu. Pourtant, j'adore ça. À chaque fois que je lis, je m'endors parce qu'il est tard et que je suis crevée. Il faut croire que ce n'est pas une priorité pour moi puisque je suis incapable de lire le jour, chez moi. J'ai toujours quelque chose d'autre à faire : quelqu'un à rencontrer, un film à aller voir, je suis plutôt du type Jolly Jumper. Par contre, j'adore lire des bons scénarios de films mais ça m'arrive rarement. Quand j'ai envie de lire, à l'extérieur des obligations scolaires parfois très intéressantes, j'appelle mon amie Julie qui me refile tout le temps des livres. Le dernier, c'était *Goodbye Columbus* de Philip Roth. Avant, *La trilogie New Yorkaise* de Paul Auster, *L'écume des jours* de Boris Vian, *L'insoutenable légèreté de l'être* de Kundera... je les ai tous aimés, alors quel type d'ouvrages : des romans. Quel type de romans ? Plutôt diversifié !

Isabelle : Oui. Des romans, des récits de voyage, de la poésie et parfois un essai philosophique. J'aime bien René Char, Paul Auster, Franz Kafka et Italo Calvino.

Chloé : Dire que je lis beaucoup serait vous mentir. En fait, deux rayons de bibliothèque constituent environ ce que j'ai lus dans ma vie. Bien sûr, j'aimerais avoir cette passion et je sais qu'elle peut se développer. J'essaie tranquillement, bientôt j'arriverai certainement à tenir jusqu'au dernier chapitre ! Lorsque je lis, ce sont principalement des romans, des revues de cinéma et des ouvrages techniques. Le dernier auteur que j'ai lu s'appelait Moravia. Bien que le contexte avait un peu vieilli, les propos étaient justes et l'humour très noir, comme je l'aime.

Guy : Je lis énormément. J'ai toujours une revue du genre *Biosphère, National Geographic* ou *Les grands reportages* à portée de la main. J'aime bien les romans, la philosophie et un peu de poésie. Mes auteurs favoris sont Bernard Werber, Romain Gary, Réjean Ducharme, Albert Camus et Foglia (père).

Félix Phuc: Énormément. Des romans, des œuvres médicales (études obligent), les journaux. Mes auteurs préférés? Romain Gary, Agota Kristof, Alexandre Dumas, Jacques Prévert et Boris Vian.

Stéphane: Je lis beaucoup. Les dictionnaires et les atlas, merveilleux labyrinthes. Les livres d'histoire. Les essais qui expliquent tout et les magazines qui pensent à autre chose. Les romans et bandes dessinées qui traînent chez des amies et amis et des centaines d'articles scientifiques. Et, depuis des mois, des récits de voyage. Quelques journaux, *Le monde diplomatique* et le *Courrier international.* Une influence: Réjean Ducharme. J'ajoute Fred, pour Philémon.

Michelle: Oui. D'ailleurs, j'ai presque toujours quelque chose à lire sous la main. Comme ça, où que je me trouve, je peux m'évader dans un autre monde et y apprendre un tas de choses. Je lis un peu de tout: de la pure fiction au roman historique. Mes auteurs préférés sont Richard Bach, George Sand, Jeanne Bourin, Jean Giono, Margaret Atwood et J.R.R. Tolkien.

Êtes-vous musicien(ne)? Quels sont vos compositeurs favoris?

Marie-France: J'aurais aimé jouer de la musique quand j'étais jeune. Maintenant, je suis trop paresseuse... Ou j'ai trop peur de commencer. Alors, j'en écoute tout le temps... La musique de Philip Glass me rend contemplative et passive. Elle me transporte dans un espace inexistant et fait émerger en moi des images et des idées à la fois saugrenues et inusitées. Bach contre-balance cette écoute passive avec une musique plus scientifique, plus mathématique. Satie, pour sa musique étrange et les délectables titres de ses pièces. Je pourrais parler de Peter Gabriel qui touche à tout pour le transformer en or. De Serge Gainsbourg qui jongle de son talent avec les mots. De Leonard Cohen et de sa poésie, de la voix de Barbara ou de Kate Bush. Mais je m'arrête.

Marie-Julie: J'aurais voulu être chanteuse, j'aurais tellement voulu. Une chance que je ne l'ai pas fait: j'ai une bonne oreille mais la voix... J'ai joué du violon pendant trois ans, de sept à dix ans. J'aimais mieux jouer avec mes amis plutôt que de pratiquer. En plus, j'ai tendance à avoir les pieds par en dedans alors la position canard de la parfaite petite violoniste m'emmerdait pas mal. Ensuite, au secondaire, j'ai appris la clarinette et le saxophone alto. J'ai joué deux ans du sax dans l'harmonie musicale de l'école. Un jour, je vais recommencer à jouer du violon. Pour moi.

J'adore la musique ténébreuse : Pergolesi, Samuel Barber, les chants grégoriens... J'adore maintenant, mais quand j'étais adolescente et que mon père nous réveillait avec ça à 10 heures le dimanche matin, je ne trouvais pas ça drôle. Il voulait nous mettre du plomb dans la tête. Ça a marché.

J'ai des amis qui interprètent les grands succès québécois des années 50 et 60. Au début, c'était pour rire mais on s'est fait prendre au jeu parce qu'on écoute ça chacun chez nous... J'écoute toutes sortes de styles différents. Cela dépend des jours et de mes humeurs.

Isabelle : J'ai étudié le violon pendant dix ans et j'ai chanté avec une multitude de chorales. J'aime Sibélius, Bach, Jacques Dutronc et Miles Davis.

Chloé : Je ne suis pas musicienne mais je pianote et j'ai joué de la flûte traversière quelques années... Mais, s'il vous plaît, ne me demandez pas de chanter. Mes compositeurs favoris ? En premier lieu Chopin et vient ensuite Peter Gabriel.

Guy : Je ne joue malheureusement d'aucun instrument de musique, mais j'aimerais bien apprendre le piano. J'adore écouter les œuvres de Chopin et de Vivaldi. Toutefois, mes goûts en musique sont très variés. Ils vont de Jacques Brel à Pink Floyd, en passant par les Séguin, Bigras, Desjardins, Pat Metheney et Michael Brecker.

Félix Phuc : Je gratte la guitare depuis sept ans. J'ai pratiqué le violon pendant six ans. J'aime Miles Davis, Thelonious Monk, Duke Ellington, The Ornette Coleman Trio, Mahler, Bach, Beethoven, Chopin, Tchaïkovski, Debussy, Fauré, Jacques Brel, Harmonium, The Church, The Stone Roses, Pink Floyd...

Stéphane : Malheureusement, je ne suis pas musicien. Parmi ce que j'apprécie : Bach (éternel), Chostakovitch, Lutoslauwski, Reich, Kagel, Ligeti, Pärt, Vivier, Lussier, Rea, Brady. La musique antique, médiévale et/ou traditionnelle de plusieurs régions, les Youngs Gods, Talking Heads, Rita Mitsouko, Cecil Taylor, Steve Lacy, John Coltrane, Zga,

Test Department (musique dite industrielle), Arthur H., Gainsbourg, Barbara, T. Waits, L. Cohen... et les autobus. C'est fou, quand on écoute bien, on découvre qu'une musique émerge du souffle des freins, des efforts du moteur, des bribes de mots entendus... Dénominateurs communs : l'intensité, le rythme, la répétition interne et l'inventivité.

Michelle : Oui. Après neuf ans de piano, je prends toujours énormément de plaisir à jouer pour mon propre divertissement et celui de ma chatte. De Bach à Tears for Fears, en passant par Satie, Tom Waits, Miles Davis et Bill Evans, mes oreilles se prêtent à différents genres, selon le baromètre de mes humeurs.

Quels sont vos cinéastes préférés ?

Marie-France : Tati me fait rire, Fellini me donne des ailes, Lynch me plonge dans le kitsch du quotidien. Greenaway me met dans tous mes états.

Marie-Julie : J'en ai plusieurs, pour des raisons différentes. Marc-André Forcier : si un jour j'arrive à faire un film aussi intelligent et imaginatif que *Au Clair de la Lune,* là, je serai satisfaite de mon sort. Peter Greenaway pour les décors, les couleurs, les plans. Percy Adlon pour *Zukker baby.* Et plusieurs autres.

Isabelle : Benuel, Kurosawa et Solanas.

Chloé : J'aime beaucoup Spike Lee, Jean Beaudry et François Bouvier ainsi que Bertrand Blier.

Guy : J'aime bien la sensibilité de Wim Wenders, la technique de Steven Spielberg, la documentation d'Oliver Stone, le génie de Charlie Chaplin, l'humour de Woody Allen, l'imagination de Terry Gilliam ainsi que l'authenticité de Jean-Claude Lauzon.

Félix Phuc : Leos Carax, pour *Les Amants du Pont-Neuf.* Wim Wenders, pour *Carnet de notes sur vêtements et villes.* Claude Lelouch, Spike Lee, Tim Burton, Denis Arcand.

Stéphane : Tarkovski et Godard : l'intelligence, la (l'im)pertinence et la sensibilité. Tati, Fellini, Allen et Forcier : la fantaisie et la sensibilité. Herzog, qui ose s'enfoncer. G. Groulx, pour le montage et le reste.

Lepouchansky (*Le Visiteur du Musée,* URSS, 1989) : traumatisant. Et comment ne pas évoquer Lynch ou Kieslovsky ? Ils ouvrent les gens comme on ouvre une boîte ; j'aimerais les envoyer faire la Course.

Michelle : J'aime beaucoup le cinéma mais surtout les films qui me marquent plutôt que des réalisateurs. Je voudrais néanmoins souligner le travail remarquable qui se fait au Québec depuis quelques années avec des cinéastes comme Denis Arcand, Jean-Claude Lauzon et Roch Demers.

Quel type d'émissions suivez-vous volontiers à la télévision ?

Marie-France : J'ai toujours mille et une chose à faire. Je suis incapable de m'asseoir pour relaxer ou pour regarder la télévision. À part *La Course,* les nouvelles et une série ou un film de temps à autre, j'ai toujours l'impression de perdre mon temps devant la télévision. Je ne la trouve pas inutile : j'ai du mal à rester passive devant un écran quand plein de projets autour de moi m'appellent.

Marie-Julie : J'écoute très rarement la télévision ; *La Course* quand j'ai le temps. C'est comme la lecture, je m'endors dessus. Parfois les nouvelles, sinon j'écoute ce que mes trois postes et demi me proposent et la plupart du temps je l'éteins après cinq minutes. Je n'ai rien contre la télévision, mais elle ne fait pas partie de ma vie quotidienne. Je l'apprécierais peut-être plus avec le câble et un autre téléviseur (le mien a une légère dominante sépia et forme une espèce de « carreauté » de neige sur l'écran).

Isabelle : Les aventures du commandant Cousteau, les magazines scientifiques en général, *La Course* et les films qui débutent à 23 heures.

Chloé : Les *Paranoid cartoons* et les documentaires sur la faune.

Guy : Évidemment, *La Course.* Plusieurs émissions à reportages telles que *Faut pas rêver, Envoyé spécial, Nord-Sud, Le Téléjournal,* etc. *Les Simpsons, Americas Funniest Home Videos, Scoop,* le hockey et quelques bons films.

Félix Phuc : Les émissions comiques comme *Seinfield, Cheers* ainsi que les événements sportifs.

Stéphane : Je suis fidèle à *La Course,* aux *Simpsons,* au cinéma du dimanche soir à Radio-Canada. Irrégulièrement, je regarde *Nord-Sud, The Nature of Things.* Je déteste le reste ! Notamment les nouvelles télévisées (est-ce utile de voir une vache quand on parle des producteurs agricoles et Mulroney, quand on parle de lui ?). Je préfère la formule Radio-Canada MF : œuvres authentiques, animateurs audacieux et l'essentiel des informations (sans vache, sans Mulroney).

Michelle : J'avoue être une « treky » inconditionnelle, une participante médiocre à *Jeopardy* et, bien sûr, une fan envieuse de *La Course.*

Quels sont vos sports et activités préférés ?

Marie-France : Le ski, le patin en plein air, le vélo, la nage, la course, le patin à roulettes. J'aime aussi la sculpture, le dessin, la peinture, la couture et l'infographie.

Marie-Julie : J'adore faire de la bicyclette. Présentement, je nage deux fois par semaine et j'aime ça : j'ai des muscles ! Je fais également du ski alpin quand mes moyens me le permettent. Mais le sport que je pratique le plus, c'est la promenade du berger allemand en laisse ; très bon pour les bras, les jambes, les fesses et surtout pour les nerfs. En général, c'est à ce moment-là que je fais mon ski !

Pour ce qui est des activités, j'aime aller au parc avec Klaxon rencontrer d'autres chiens dont je sais la date de naissance, les habitudes alimentaires et affectives, les préférences, le nom : Pavlov, Rocky, Max, Coquine... Après une heure de discussion, les maîtres débiles se saluent sans savoir ni le nom, ni le sexe de l'autre parce qu'on n'a même pas pensé à se regarder, trop concentrés à regarder nos toutous fantastiques courir, jouer et chier. Reste que c'est le seul moment où je me permets de vraiment relaxer. Il y a aussi les soupers avec des amis et refaire le monde sans se prendre au sérieux. Chanter les Atomes, Daniel Hétu, Pierre Lalonde et compagnie. Refaire des annonces de Black Label et des vidéoclips *cheap* sur des paroles et musiques qu'on invente.

Déjeuner, j'adore déjeuner, je mangerais des toasts trois fois par jour.

Isabelle : Le volley-ball, le billard, la natation, les soirées au cinéma et les expéditions de canot-camping.

Chloé: Le plongeon, aller au cinéma, faire de la photo et me baigner dans un lac.

Guy: J'adore le tennis, le ski, le hockey, le vélo, le camping sauvage, l'écriture, les voyages, le cinéma et les bouffes gargantuesques entre amis. Il m'arrive aussi de faire des choses inutiles comme le ménage, tomber dans la lune, saluer des gens que je ne connais pas, retenir ma respiration le plus longtemps possible, enfin... plein de choses intéressantes.

Félix Phuc: Le hockey et le soccer sont à égalité. Mes activités préférées? Être dans les bras de ma copine. Lire mon journal le samedi et dimanche matin. Faire ou écouter de la musique. Sortir avec mes copains. Le sport, le cinéma et le théâtre.

Stéphane: Pour les sports: le vélo, la nage en ligne droite. N'importe quoi quand on me le propose. Le deltaplane et le parapente quand j'aurai de l'argent. Pour les activités: bouger, faire des découvertes et les partager, monter des projets, rêver, inventer des histoires, faire rire (malgré mon air sombre), séduire, me battre à coups de mots, repartir à neuf. Atteindre le sommet des collines boisées. Cuisiner, dormir, regarder le ciel, lire, écrire, écouter de la musique, aller au cinéma, commencer la soirée avec une inconnue.

Michelle: Je n'ai désormais plus aucun intérêt pour les sports de compétition. Je préfère les activités de plein air, comme la marche en montagne et le canot de rivière. Plus qu'une activité, la photographie est une véritable passion pour moi. Et puis, quand je trouve le temps, j'aime bien me rendre au musée ou lire tranquillement à la maison, jouer au billard (quoique je ne sois vraiment pas douée) et prendre de bonnes bouffes entre amis.

Parmi les personnages réels ou imaginaires, passés, présents ou futurs, lequel voudriez-vous être?

Marie-France: Je rêve difficilement d'être quelqu'un d'autre. J'admire les gens pour ce qu'ils sont, j'essaie de pousser, en moi, ce que j'admire chez eux mais je ne sombre pas dans une mélancolie pour rêver d'une autre vie. Je me demande, parfois, ce que c'est d'être une vache, un chien, un chat. La personne que j'admire le plus, par contre, c'est Picasso.

Marie-Julie : Snoopy. Ma première idole. Il est paresseux, philosophe et il marche drôlement.

Isabelle : Homère.

Chloé : Jeanne D'Arc.

Guy : Je ne me sens pas vraiment le besoin de changer de peau mais, pour jouer le jeu, je vous avoue que Yvon Deschamps m'inspire beaucoup. Bien sûr, pour sa carrière et pour son apport considérable à la société québécoise (surtout dans les années 70). Mais, c'est d'abord l'humilité et l'humanisme de cet homme qui me plaisent.

Félix Phuc : J'ai eu plusieurs idoles dans mon enfance, dont Guy Lafleur, Pélé, Manfred von Richtofen, D'Artagnan. Mais celui qui m'a le plus marqué c'est Arsène Lupin. Je l'admirais pour son intelligence, son humour narquois, ses crimes presque parfaits et cette quête impossible de l'amour que pouvait avoir un voleur pour de jeunes dames distinguées. Peu après, il y a eu de nombreux compositeurs, dont Beethoven, Steve Kilbey et Thelonious Monk. Présentement, c'est Clavin de la série *Calvin and Hobbes* que j'aimerais être, car c'est l'enfant terrible des années 90 ; celui qui se permet de rêver et d'exprimer tout bonnement ce qui lui passe par la tête.

Stéphane : Un des anges du film de Wenders pour faire « La Course à travers l'Humanité », distribuer du réconfort et noter, comme eux, des jolis moments du genre : ce matin, une femme a discuté avec sa voisine pour la première en cinq ans.

Michelle : Henri David Thoreau, pour ses idées humanitaires, pour ses réflexions écologiques et, surtout, pour sa force de vivre à la mesure de ses croyances.

Quelle est la qualité que vous appréciez et le défaut que vous détestez le plus chez autrui ?

Marie-France : J'admire les gens persévérants et passionnés. Cependant, il y a une chose dont j'ai horreur et c'est l'égoïsme.

Marie-Julie : J'aime les gens qui dérangent. L'intelligence et la subtilité. Je hais le monde « drabe » et l'inconscience. Les gens qui se croient parfaits ou encore ceux qui ne se posent jamais de questions.

Isabelle : L'authenticité. La mesquinerie.

Chloé : La générosité. L'hypocrisie.

Guy : J'apprécie les gens authentiques et simples. Par contre, l'intolérance des gens qui ont l'esprit trop étroit me déplaît au plus haut point.

Félix Phuc : J'aime le sens de l'humour et la fidélité. L'égoïsme... « Yark ! »

Stéphane : J'apprécie la curiosité qui mène à tout. Je déteste l'inconséquence.

Michelle : L'intégrité. L'hypocrisie.

Qu'est-ce qui est le plus important pour vous dans la vie ?

Marie-France : Le respect que l'on doit porter aux animaux, si l'on veut un jour que les hommes réussissent à se respecter entre eux. Selon Kundera, si l'animal n'avait jamais été considéré à la merci de l'homme, il n'y aurait pas d'homme à la merci de l'homme.

Marie-Julie : Mes illusions.

Isabelle : La liberté.

Chloé : Être heureuse et en santé.

Guy : Il faut aimer pour pouvoir rire. Il faut rire pour être bien. Il faut être bien pour pouvoir grandir. Il faut être grand pour pouvoir partager. Et il faut partager pour pouvoir aimer. L'amour, y'a que ça !

Félix Phuc : L'amour !

Stéphane : Surtout, ne pas se mentir à soi-même.

Michelle : Ne rien manquer de ce que la vie a à offrir, ça passe trop vite.

Quel est l'événement mondial qui vous a paru, d'abord le plus inquiétant, puis le plus réconfortant, au cours de l'année 1992 ?

Marie-France : Je ne vois pas d'événement ponctuel qui m'ait inquiétée en 1992 !? ! Depuis que les États-Unis sont rentrés de la guerre du Golfe, on peut croire qu'ils se plaisent à multiplier leurs actions humanitaires à travers le monde. La Somalie, prétexte médiatique par excellence, glorifie encore l'armée américaine dans son intervention humanitaire. C'est une belle chose, l'entraide. C'est seulement dommage qu'il faille choisir entre les principaux intéressés. Je ne crois pas que les 5 000 Kurdes exilés après cette guerre aient gagné à la loterie.

L'année 1992 restera importante pour l'histoire mondiale, sans doute à cause de l'effrondement de l'empire soviétique et des autres mutations internationales. Le traité de Maastricht, l'accord de libre-échange nord-américain ou le sommet de la Terre, montrent que les gens se prennent en main pour soutenir leurs causes culturelles, économiques, géopolitiques et écologiques.

Marie-Julie: Le fait que les Québécois ont presque cru pendant un an que seul le maudit référendum existait comme misère dans l'univers (et qu'en plus jamais cette maudite question n'a été claire). Ça m'a réconfortée qu'on ne parle plus du référendum et de nos nombrils, et que tout à coup les médias se rendent compte qu'existaient, avant le référendum, des pays qui s'appelaient par exemple la Yougoslavie et la Somalie.

Isabelle: Le conflit engagé entre Serbes, Croates et Bosniaques m'a inquiétée. La victoire du NON au référendum portant sur l'accord de Charlottown m'a rassurée.

Chloé: Le viol systématique des musulmanes de la Bosnie par les Serbes, pour en arriver à une purification ethnique (guerre en ex-Yougoslavie), m'a vraiment choquée. L'arrivée de Bill Clinton au pouvoir aux États-Unis m'a soulagée.

Guy: On le sait, 1992 fut très dure pour l'humanité entière. Les fins de siècles sont toujours bouleversantes. Personnellement, j'ai un peu de difficulté à déterminer si les troubles de la Bosnie sont plus inquiétants que le mal de la Somalie. Ces événements ne sont probablement pas isolés. C'est une somme d'attitudes collectives et individuelles qui donnent lieu à tant de misère. Les émeutes de Los Angeles sont une autre preuve que personne n'est à l'abri de l'intolérance. Voilà ce qui m'a tant inquiété au cours de l'année: l'intolérance. Quelle soit à courte ou à grande échelle, entre individus, groupes sociaux ou peuples, l'intolérance est la source à laquelle il faut s'attaquer en éduquant les gens.

Heureusement, certains signes encourageants sont apparus en 1992. C'est le cas du référendum sur le partage des pouvoirs entre Blancs et

Noirs, en Afrique du Sud en mars. Les résultats se sont avérés surprenants car 69 % de la population s'est déclaré en faveur de ce nouveau partage des pouvoirs. Ironie du sort, la population noire n'avait pas le droit de voter. Sans commentaires...

Félix Phuc : Inquiétant ? L'élimination du Canadien en quatre matchs par Boston ! Réconfortant ? Les fiançailles de ma cousine.

Stéphane : Los Angeles : est inquiétant ce qui menace l'ordre établi. Les désordres civils et la progression des dettes publiques et du chômage pourraient troubler nos rêves de paix urbaine (si nous y rêvons encore). Mais ce qui m'a le plus dégoûté, en 1992, c'est l'accumulation inutile, honteuse et horrible de cessez-le-feu en Bosnie. Ce qui est réconfortant ? Beaucoup d'humains font, tant bien que mal, leur petite vie, tout en évitant d'emmerder les autres. Faut le souligner.

Michelle : Les suites du verdict dans l'affaire de Rodney King. Je suis décontenancée davant la capacité de violence latente chez la race humaine. La taxation de la Reine m'a rassurée !

Par quoi êtes-vous particulièrement attiré dans la vie (votre passion) ?

Marie-France : Le voyage, qui est d'abord une évasion, une coupure avec la routine de vie que l'on mène chez soi. Le voyage, c'est un départ, une destination, un relais, une escale. C'est la sempiternelle découverte.

Marie-Julie : Par la vie. Par l'inconnu et le mystère, donc l'amour, les voyages et le cinéma (à chaque film, on recommence à zéro).

Isabelle : Les hommes et les femmes. Par conséquent, les arts, l'histoire, l'anthropologie et les voyages.

Chloé : Le cinéma et les enfants, mais pas le cinéma pour les enfants !

Guy : Tout ce qui peut provoquer le plaisir m'attire. L'humour, le jeu, les gens, les voyages, la nature, les animaux, le ciel... la vie !

Félix Phuc : Les femmes ! Y a-t-il besoin d'explications !

Stéphane : L'expérimentation (en biologie, en cinéma, en musique). Le monde, la planète, les régions nordiques, les ruines, la solitude, le mystère, la pluie. Ce qui est arrivé, ce qui pourrait arriver. Pulsion : le voyage.

Michelle: Apprendre. J'ai une soif de connaissances que j'espère ne jamais assouvir. Comprendre le pourquoi des choses, placer les événements dans leur contexte, réfléchir sur la nature humaine et observer les phénomènes naturels. En somme, garder le feu sacré pour la vie.

Comment vos proches vous perçoivent-ils?

Marie-France: « Je lui souhaite de garder le feu sacré afin qu'il continue d'embraser ses proches. » (Carole, *best friend*)

« Vive, sensible et curieuse. Entreprenante et articulée. Autonomie de la pensée et pensée propre. » (Roch, professeur, collègue et ami)

« Opiniâtre et réfléchie dans son travail, curieuse de nouveaux horizons et partageant mon esprit d'aventure lors de nos voyages, elle restera toujours ma meilleure amie. » (Patrick, cousin spécial)

« Tu es un être à part, par le nombre et la diversité de tes talents, mais plus encore par la générosité de ton cœur qui s'est ouvert aux autres. » (Marie-Antoinette, maman)

« Marie-France, c'est la fille dont on a peur mais vers qui on est attiré. La femme Mawie sait que la vie est courte, que le chemin de l'immortalité est très long, mais qu'il est à sa portée. » (Martin, amoureux)

Marie-Julie: Comme une fille sensible mais forte, comme un *spring* ambitieux, fonceur et intelligent (c'est pas moi qui le dis). On me dit souvent que je vis dans une bulle rose. Pour la plupart, je suis un peu comme un coup de vent rafraîchissant et attachant (ça non plus c'est pas moi qui le dis). En fait, on me perçoit souvent comme je suis.

Isabelle: Comme quelqu'un d'entier...

Chloé: Ils me perçoivent comme quelqu'un qui va jusqu'au bout de ses idées et qui a beaucoup d'énergie. Mes colocataires s'entendent pour dire que je m'emporte facilement autant pour les choses gaies que pour les tristes. Mes proches me trouvent aussi très polyvalente et responsable.

Guy: « Y' est b'en correct, mais y' est pas question que je casse son bail pour six mois. » (André P., propriétaire)

« Il est drôle, brillant, charmant et passionné! » (Jeannette L., mère objective)

« Prenez-le, on va être débarrassés pour six mois ! » (Mylène N., gentille sœur)

« C'est l'homme parfait ! » (Nathalie J., ex-blonde) C'est à se demander pourquoi elle m'a laissé ! ? !

Félix Phuc : Mes proches me perçoivent comme un Québécois et un Vietnamien intégré. Un ami intelligent, créatif, sensible et chaleureux. Un bon vivant expressif qui n'a pas peur d'afficher ses convictions. On me dit à la fois spontané et réfléchi, responsable et déterminé. Un copain généreux, romantique, qui a le rire facile et qui accorde énormément d'importance à l'amour et à l'amitié.

Stéphane : Habituellement, on me dit calme, imaginatif et énergique. On me reproche parfois d'être trop sélectif, on découvre souvent que je suis plus chaleureux que j'en ai l'air, tous me disent que je suis très vivant.

Autres commentaires :

Denis : Si j'avais de l'argent, je t'engagerais comme scénariste, directeur artistique et machine à idées.

Sonia : Tu es une sorte de monstre qui nous poursuit dans les rêves.

Julie : Tu me fais du bien.

Michelle : Comme une force tranquille.

POURQUOI
PARTICIPER À LA COURSE ?

Marie-France

La Course me hante, la Course m'habite. J'y pense, j'en parle, j'en rêve. La Course est le plus grand défi qui s'est présenté à moi jusqu'à maintenant. Si je réussis un tel périple, je sens que rien ne pourra jamais m'arrêter après. C'est le défi d'optimiser ce mode de communication que sont les images animées et les mots. La Course, c'est s'ouvrir toute entière au monde qui me rendra si petite que je m'y diluerai pour contempler et emmagasiner tout ce que je pourrai.

La Course appelle à se dépasser, à aller plus loin que l'on ne le croit possible. La Course demande beaucoup d'humilité et d'écoute. C'est dans cet esprit que j'ai envie de m'ouvrir au monde et à ses couleurs.

De plus en plus, je sens un malaise, parce que je vis au Québec. Au Canada. En Amérique du Nord. Je prends conscience du cocon douillet dans lequel je vis, confortablement isolée du reste du monde. Je pourrais facilement y passer toute ma vie sans me questionner sur mes valeurs, mes références culturelles, spirituelles et sociales. Sans mettre en doute que la vie, la santé et la liberté ne sont pas des acquis partout. J'ai besoin de briser les acquis de ma société pour me rapprocher de l'être humain et retrouver les éléments de cette universalité qui unit les hommes et les femmes du monde. Un grand malaise surgit en moi, celui du déséquilibre économique. L'échange de richesses culturelles avec les gens d'autres sociétés peut contre-balancer ce malaise. Je veux me laisser façonner par ces gens et leur donner une partie de moi. La Course me hante, la Course m'habite...

Marie-Julie

Dernièrement, je me suis retrouvée au Val-de-Travers, en Suisse, à me soûler à l'absinthe. Ça m'a rendue complètement folle et c'est là que j'ai ressenti, pour la première fois, l'envie de faire la Course.

J'ai envie de tourner des films sur des sujets et des gens que je ne connais pas. Je veux immortaliser sur bande une série de premières impressions que j'aurai récoltées un peu partout à travers le monde en me laissant aller, imprégner par les situations et en filmant ce que je vois, comme je le vois. Je veux participer à la Course parce que ma curiosité et mon ambition n'en peuvent plus d'être ici.

Isabelle

Parce que je cherche. Parce que, comme je suis redevable aux étoiles d'avoir fabriqué les atomes dont sont constituées les molécules de mes yeux tournés vers elles, circulent dans mes veines les gènes de 5 millards d'humains, transpirent par le verre que je porte à ma bouche 15 millards d'années d'évolution. Parce que j'appartiens à cette démesure.

Parce qu'il y a en moi un vide, créé par mon silence et celui du monde. Je souhaite la rencontre. Un face à face ultime. Et pour cela, je dois partir. Ma cour est devenue trop petite, l'intimité de ma nuit trop passive. Parce que je veux de l'action.

Je veux insuffler au monde le pourquoi de mes définitions et me laisser pénétrer à mon tour par l'héritage de ceux qui m'ont précédée, de ceux qui vivent ou tentent de le faire et de ceux qui, demain, viendront à leur tour fouler une terre vieille.

Parce que je veux me taire, surprendre l'écho et laisser dire la caméra. Parce qu'il y a ces hommes et ces femmes aux sourdes rumeurs. Parce qu'il y a moi et une télévision posée sur le frigo, un dimanche cinq heures. Parce qu'il y a la communion, l'espoir, la nécessité, la liberté, la rage, la vie. Parce qu'il y a ma Course. Parce qu'il y a la Course.

Chloé

Spontanément, les premiers mots qui me viennent en tête sont : je veux voyager et le cinéma me passionne. Je suis quelqu'un qui aime l'aventure, le voyage et j'ai l'esprit de compétition assez développé pour vouloir relever ce genre de défi. Je veux voyager pour m'ouvrir l'esprit sur d'autres valeurs que celles qui m'ont été inculquées jusqu'à présent. Je veux participer à la Course pour me retrouver et pour me prouver que je peux réussir à voyager seule, tout en remplissant un mandat qui me semble fascinant. Ce qui me pousse aussi beaucoup à vouloir faire ce périple, c'est la caméra, celle qui peut parcourir le monde avec moi, pour filmer la vie qui se déroule simultanément ailleurs. Les conditions de vie qui entourent ce projet ne m'apportent aucune crainte, parce que je peux facilement m'accommoder de très peu et je cherche souvent les situations les plus modestes.

Je m'étais procurée le dossier pour la Course, il y a trois ans mais je ne crois pas que j'aurais pu la faire à l'époque. Par contre, maintenant, je me sens prête et j'ai envie de partir avec une caméra sur l'épaule pour faire partager aux autres ce qui me touche, ce qui attire mon attention. C'est une excellente chance, pour moi, de me connaître et de connaître mes limites.

Guy

À cette question, je répondrais : parce que j'y crois et ça me semblerait suffisant. Après tout, moi aussi j'ai un spectacle à offrir, une histoire à raconter, la mienne. Et rien ne ressemble à mon histoire, parce que rien ne me ressemble.

Je souhaite vivre 182 soleils de regards nouveaux ponctués de rires, d'amour et de chants de liberté. La Course est à l'image de la vie : belle mais éphémère. Mais il y a des secondes qui valent une vie. J'ai besoin de connaître ces gens qui, tout comme moi, se nourrissent de rêves et de passion. J'appréhende fébrilement ce voyage, comme on rêve à un arbre au jour de la semence. J'imagine déjà l'emprise de la liberté. Je songe au chagrin des rencontres éphémères ainsi qu'à cette avidité d'aventures qui me hante depuis si longtemps.

Partir, c'est naître un peu. Je réclame un sursis à ma jeunesse. Je veux apprivoiser mes peurs, puiser dans mes ressources les plus profondes. Je désire toucher plutôt que de regarder, apprendre au lieu de savoir, courir au lieu de marcher, arrêter de survivre et me laisser vivre.

Je pars donc chercher l'enfant en moi, enseveli par l'usure du temps et le poids des mots. Mon corps sera mon vaisseau et la terre sera mon île.

Félix Phuc

Mes études en médecine tirent à leur fin, l'ours créateur cesse d'hiberner.

Communiquer une émotion, émouvoir le public, c'est pour moi le summum des jouissances. Je rêve du jour où je vous ferai pleurer, rire, voir le monde tel que je le perçois, avec mes yeux encore tout ébahis devant la vie. Créer afin de communiquer un sentiment, une atmosphère, une pensée, c'est ce que j'ai toujours tenté de faire avec ma musique.

J'ai sans cesse cherché à relever des défis, à faire face à l'inconnu, à me surpasser. Le défi de composer avec un milieu étranger qui m'est parfois hostile et imprévu, c'est ce que j'adore de la Course.

Pouvoir faire un tout à partir de presque rien, monter et démonter dans sa tête un film qui prend tantôt une direction, puis une autre, être à la recherche d'une certaine maîtrise de son sujet, se sentir en contrôle de quelques éléments afin d'exprimer ses idées, n'est-ce pas là le rêve de tout être humain... se mettre à nu devant son auditoire ?

La Course est une occasion rêvée de continuer mon apprentissage de la vie et de vivre des moments intenses et privilégiés. J'aimerais atteindre cette sensibilité nécessaire qui me permettra de me rapprocher des hommes. Gagner leur respect, leur offrir le mien. Voilà pourquoi je suis obsédé par l'idée de faire la Course.

Stéphane

Pour apprivoiser l'hôtel et la gare, le fonctionnaire, le malaise et la poussière. Pour cet art de la vitesse : construire ces films si particuliers, irremplaçables, et les présenter rapidement. Pour l'exigence : toutes nos énergies, toutes nos ressources. Pour l'exploration : les gens n'auront jamais fini de se découvrir les uns les autres, de regarder la Terre.

J'ai un vieux compte à régler avec la société, celle qui enseigne la géographie, l'histoire et le français, qui répète qu'il faut comprendre quelque chose à l'économie, la politique et la science, découvrir et aimer l'Autre, avoir une opinion, cultiver l'imaginaire, savoir se présenter et faire la synthèse de ses idées. La Course met magnifiquement à l'épreuve ce que le Québec a fait d'un Québécois ; c'est pourquoi j'y crois.

Et puis, après 20 années d'études destinées à faire de moi un scientifique, après ma maîtrise en biologie moléculaire et avant de poursuivre mes études, je dois absolument (je vais) vérifier si hormis l'homme de science, je ne serais pas autre... Un bon observateur, doublé d'un raconteur habile ? On me le dit souvent. Je pourrais y penser... mieux, m'y essayer via la Course.

Michelle

Pourquoi ?

a) Pour vivre la différence, être confrontée à des modes de vie étrangers et m'ouvrir à l'inconnu.

b) Pour me retrouver à la ligne de front, m'interroger et aller au fond des choses.

c) Pour être seule dans la foule et avoir à me faire une place, sans jamais cesser d'être moi-même. C'est l'occasion de voir de quoi je suis capable, de me rendre au bout de mes forces, de mes énergies et de mes faiblesses aussi.

d) Pour subir l'action du milieu que je traverse et créer à partir de ce qui me touche.

e) Pour me passionner de tout ce qui sera nouveau et partager le plaisir de mes découvertes à chaque semaine.

f) Pour rencontrer des gens, écouter ce qu'ils ont à dire, respecter ce qu'ils sont et essayer de communiquer avec eux, ne serait-ce que par la force d'un sourire.

g) Pour explorer et ressentir dans tout mon être ce que le chanteur sud-africain, Johnny Clegg, nomme « *the cold, cruel, beautiful world* ».

h), i), j), k), l)...

Avant de partir

Arachnide de verre bleutés
Cornes de bouc
Terre anthracite et vache mouillée

Je cours à travers les steppes du temps et les
grottes de l'imaginaire
Arrêt en ce lieu magique
Le lieu du départ

Arachnides bleutés
Œil velu et main crevassée
L'ovoïde personnage de papier des grottes
me montre le précipice

Je plonge
Et je suis aspirée par cette masse nébuleuse
qui m'envoûte et m'attire
Je ne vois plus rien et pourtant l'excitation
s'empare de tous mes sens

Voilà que je franchis la frontière de l'inconnu

ZincRougesPerlesSafransVerdoyants
Poissons qui courent et arachnides bleutés

J'arrive...

Marie-France Bojanowski
15 juillet 1993

Attache ta tuque

Tu ne sais pas ce qui t'attend!
Je repartirais demain matin!
Non, je ne referais jamais la Course, jamais!
Je suis en thérapie – j'aurais besoin d'une thérapie – mes amis voudraient que je fasse une thérapie!
J'ai été malade comme un chien, comateux pendant deux semaines!

Jusqu'à maintenant, j'ai consulté mon dossier deux fois à la question: « Dites-nous pourquoi vous aimeriez participer à la Course. » Tout à coup, je me suis sentie soulagée: j'avais de bonnes raisons, au moins. Je crois conserver cet extrait avec moi, tout au long de mes péripéties. C'est complètement fou ce qui m'arrive, fou et fantastique. Un rêve, bien sûr, une curiosité assoiffée, oui, mais une part de folie certaine. Mon itinéraire, je l'ai fait d'instinct, il aurait pu être complètement autre chose. Pour l'instant, tout est irréel, chaque pays est un petit point de couleur sur un bout de papier, à partir duquel on peut se rendre plus facilement à tel autre: parfait, j'y vais!

J'ai une surcharge d'adrénaline: je pars, c'est vrai. Je me mets à lire, à rencontrer du monde. Là, je me rends compte que je ne sais rien, puis que j'aurais besoin de quatre ans de préparation. Dans un mois et des poussières, je serai au Sénégal. Je le sais mais je ne le réalise pas. J'ai hâte, peur et déjà mal au ventre.

Partir six mois, où tu veux, avec une caméra et faire un film par semaine, qui sera vu sans faute la semaine d'après et en plus dire ce que tu penses: qu'est-ce que tu peux espérer de plus? La Course, c'est la liberté ultime... avec des *dead-lines.* J'ai peur de devenir folle et, en même temps, j'espère aller au bout de la folie. « Fa que »: attache ta tuque puis fonce.

Marie-Julie Dallaire
15 juillet 1993

Avant de partir

Il faut que je fasse la vaisselle. C'est vrai, parce que six mois de vaisselle sale sur un comptoir, ça doit être... Je ne sais pas... Ça doit être terrible en tout cas. Vous savez, vous, ce qu'il advient d'un chaudron souillé de sauce à spaghettis, qu'on a négligemment laissé sur un comptoir, six mois durant ? Eh bien ! moi non plus. Je n'ai jamais, jusqu'à présent, poussé l'expérience aussi loin.

Il se désintègre peut-être, le chaudron. Peut-être qu'il fait des ballades dans la maison et qu'il joue avec des allumettes. Peut-être qu'il ne fait rien et qu'il attend. Peut-être qu'il s'en fout de tout cela, le chaudron. Je l'ignore. Demain, demain, je sais que je pars. Demain, il y aura un avion. Le mien. Parce que, bien sûr, il y aura autour des tas de gens courant vers d'autres avions. Demain matin, il y aura un avion, il y aura moi et il y aura le monde dans toute sa démesure, avec tous ses mystères. Il y aura un monde auquel j'appartiens. Ça, je le sais. Je peux l'affirmer, en vous regardant dans les yeux, sans broncher. Après, c'est comme le sort réservé aux chaudrons plein de spaghettis, après, je ne sais pas.

Il y aura peut-être des soupirs étouffés, des regards tournés vers l'intérieur. Des ardeurs inouïes, des gestes magnifiques. Il ne m'est pas donné de prévoir la nature d'une rencontre que j'ai défiée. Il ne me reste qu'à écouter, qu'à regarder. Comme si plus rien ne m'appartenait.

Maintenant, c'est tout décidé. Avant de partir, je lave la vaisselle.

Isabelle Leblanc
16 juillet 1993

***

Je respire à fond et m'imprègne de la chaleur de l'été, si longtemps attendu. L'humidité me colle à ma chaise et me force à réfléchir sur ce qui m'arrive. Ce que j'avais jadis considéré comme des idées, devient soudainement réalité.

Quelques centaines de minutes, seulement, me séparent d'un instant mille et mille fois réinventé. J'aperçois le drapeau vert, la nuit, où je fantasme les mystères de la Chine.

Resterais-je incrédule ? Peut-être. J'ai la curieuse impression d'avoir rencontré le génie de la lampe...

Chloé Mercier
15 juillet 1993

La trouille, la peur et la chienne

« Dans quoi me suis-je encore embarqué ? » Voilà ce qui m'est venu à l'idée en ce 29 juin ensoleillé, comme j'avais tant imaginé depuis un an. Le rêve inaccessible était maintenant réel. La journée était parfaitement orchestrée, comme les *success movies* américains et, pourtant, une seule phrase me hantait : « Dans quoi me suis-je encore embarqué ? » Comme un lendemain de veille, où l'on se réveille à côté d'une personne dont on ignorait le nom, 24 heures auparavant. Surtout, n'attribuez pas ce comportement au snobisme. Bien au contraire, j'étais parfaitement heureux et conscient du privilège que la vie m'accordait, mais au-delà de tout ça, un sentiment surgissait : la trouille.

La peur, voilà ce qui m'a toujours porté à agir. Je fais partie de cette race qui a toujours besoin de s'embarquer dans les aventures les plus folles, afin de se prouver sa dignité. Ceux qui me connaissent bien, se plaisent à ma qualifier de « peureux », « chieux », « froussard », « têteux », « momoune »... (Dans ce dernier cas, ils exagèrent un peu, après tout, il y a tout un monde de nuances entre « peureux » et « momoune ».)

Bref, cette aventure m'effraie un peu, je l'avoue. C'est comme une lutte à finir entre l'inconnu et moi-même. Mais j'ai peur de bien des choses, vous savez : peur d'être seul, peur d'avoir mal, peur d'être nul, peur de me perdre dans un métro en Asie, peur de me faire flinguer en Croatie, peur de me sentir impuissant face au malheur, peur d'être la cible des frères Fournier, peur de décevoir ceux que j'aime, peur de moi, peur de vous (car vous êtes exigeants et avec raison). Enfin, j'ai peur, mais je suis heureux parce que je n'ai pas peur d'essayer.

Mais pire que la peur, il y a la « chienne ». Cette peur, qui n'en est pas une, demeure la plus angoissante et la plus stimulante. La « chienne », c'est qu'à partir de ce 29 juin ensoleillé, rien ne sera plus jamais pareil.

Voilà ce qui me hante, à un mois du grand saut vers la plus extraordinaire conquête du temps et de l'espace : la trouille, la peur, la « chienne »... et beaucoup de bonheur.

Guy Nantel
13 juillet 1993

***

Ça fait deux semaines qu'on me demande d'écrire un texte. Deux semaines que je vis le drame de la page blanche. La Course, en fait, m'était inconnue. A priori, un coup de tête ; aujourd'hui, elle m'envahit, me consomme et devient de plus en plus personnelle. Plus les jours avancent, plus les questions s'accumulent. J'écoute, en ce moment, la deuxième symphonie de Mahler. Si seulement il pouvait se calmer, mes idées seraient peut-être moins bousculées.

Je me demande si les souvenirs et la mémoire sont plus forts que le temps. S'il existe un lien entre le monde et Montréal, le monde et moi. Dieu existe-t-il ? Le temps existe-t-il ? L'amour est-il universel ? L'amour m'attend-il après la Course ? Trouverais-je un plus beau sourire, des yeux plus perçants que ceux de celle qui me hante ? Les hommes sont-ils des hommes ? Peut-on prévoir l'avenir ? Le Père Noël est-il bien vêtu de rouge ?

Des questions sérieuses, je vous l'assure.

La Course, c'est beaucoup plus qu'un voyage géographique, culturel, cinématographique... En fait, la vraie Course, personne ne la verra : c'est peut-être ça le drame. Merde ! c'est vraiment pas du Mahler qu'il me faut.

Satie saura-t-il plus m'inspirer ?

Il y a des jours où je me lève et j'ai envie de pleurer. Je crois que j'ai besoin d'extérioriser mes sentiments, de courir, de m'éclater. Je ne sais plus où j'en suis. Je m'écoute et je sens que je me retiens, que je crie à moitié. Il y a un mois, j'écrivais dans une de mes lettres : « J'espère que je vais la faire la Course, mon gars. "Esti" que je vais me défoncer, si je la fais. "Esti" que je vais la défoncer, cette "christ" de vie ! »

Félix Phuc Nguyen-Tân
14 juillet 1993

***

Je suis enfant
Debout dans l'herbe
Je frémis de sentir le vent
De le reconnaître
Je l'aime
C'est celui de l'orage

Les nuages se préparent
L'électricité parfume l'air
L'humidité m'enveloppe
Je reste là, j'attends...
Les premières gouttes de pluie
 m'emplissent de joie

Les orages me fascinent
Le tonnerre et l'éclair
 me transportent
 me transforment
La Course est un terrible orage
Une tempête qui m'arrache du sol

Je m'en vais, poussé par les vents
Filmer la stratégie humaine
Ses solutions originales
À des problèmes particuliers
Je m'en vais filmer des
 histoires, des distortions,
 des explications

Comment la terre est grande?
Les gens nombreux
Les acquis différents
La Course est un terrible orage
Attention, les nuages, la pluie, le vent
J'arrive!

À mon retour, je veux
N'avoir aucun regret
Aucun regret.

Stéphane Prévost
16 juillet 1993

***

Le départ pour la Course, c'est la rencontre vertigineuse du rêve et de la réalité. D'un seul coup, tout semble possible, le monde se trouvant littéralement mis à ma portée. Qu'on m'offre ainsi la planète me déconcerte, m'enchante, me soûle. Le temps revêt un caractère surréel, comme si la Terre s'était immobilisée pour attendre que j'aille en faire le tour.

Au-delà des pays lointains et des cultures étrangères, la Course me confrontera à moi-même. Seule pour la première fois de ma vie, je vais découvrir de quoi je suis capable. Parachutée dans des situations où j'aurai à réagir vivement, je serai forcée de trouver ma propre voie. Soucieuse de ne pas prendre la couleur des autres, je pars donc à la recherche de la mienne.

Mais, pour partir, je dois me permettre un certain égoïsme. La Course est généreuse mais elle est exigeante aussi. Pour la vivre à fond, je dois m'y abandonner complètement, faire la paix avec tous les autres aspects de ma vie et les mettre de côté pour un temps, faire aveuglément confiance à ce qui s'en vient, faire acte de foi. Il faut me concentrer uniquement sur moi, sur mon aventure, si bien qu'il ne reste plus beaucoup de temps ni d'énergie pour qui que ce soit d'autre. J'imagine que ce sera un peu la même chose pendant la Course : à chaque nouvelle destination, compter sur la générosité des gens que bien souvent je ne pourrai remercier autrement que par un sourire.

Aux gens d'ici, par contre, je pourrai offrir des films. Ainsi naît l'envie de plaire... et la peur de décevoir. Je veux être à la hauteur. C'est un trac qui pousse à agir, à aller un peu plus loin, à essayer des choses, à sortir des sentiers battus au risque de me casser la gueule. De toute façon, ramer dans la vague de côté, même si c'est plus dangereux de chavirer, c'est comme ça qu'on apprend à tenir le bateau.

Quand cette folle et audacieuse aventure sera terminée, j'aimerais savoir que j'ai donné tout ce que j'avais dans le cœur et dans le ventre.

P.S. : Ne pas oublier de m'amuser.

Michelle Widmann
16 juillet 1993

CONCLUSION
LE SAUT VERS L'INCONNU

Marie-France, Marie-Julie, Isabelle, Chloé, Guy, Félix Phuc, Stéphane et Michelle... vous les connaissez maintenant un peu. Je les connais à peine plus que vous et pourtant on me pose toujours la même question : « Puis, elle est comment, l'équipe de cette année ? »

Ils partent dans quelques jours... Le rêve est tout entier même s'ils savent qu'ils partent, même si, plantés devant leur globe terrestre, ils ont dû choisir 15, 16 destinations, laisser tomber le Japon pour la Nouvelle-Zélande, l'Islande pour le Groenland ; toute cette préparation, cette logistique, relève encore de l'irréel...

Demain la planète leur appartiendra et, du même coup, elle nous sera livrée à travers leur regard. C'est un privilège, pour une société, que de nourrir son imaginaire à même ses perceptions, en l'occurence celle de ses jeunes. Cela change des dépêches des grandes agences de presse internationales ou des mêmes images qui, chaque jour, bombardent les télévisions du monde entier. Il y a, dans ce saut vers l'inconnu, cette volonté d'aller vérifier par soi-même. Le monde va-t-il aussi mal qu'on le prétend ? Partage-t-on les mêmes rêves ?
Il y a aussi le défi qu'on se lance, celui de croire qu'il est possible de bouger, de changer, de grandir. Se décider à briser ses chaînes et se rendre compte, à son plus grand étonnement, que ce n'était que de la ficelle !

Ils partent dans quelques jours... La réalité du monde va les frapper de plein fouet mais, s'ils réussissent à s'abandonner, à apprivoiser leurs peurs, nous serons témoins, à travers leurs documents, des plus beaux moments de leur vie. Je leur souhaite encore une fois, comme à vous, comme à moi, une très belle Course !

Jean-Louis Boudou

Table des matières

Achevé d'imprimer
en octobre 1993 sur les presses
des Ateliers Graphiques Marc Veilleux Inc.
Cap-Saint-Ignace (Québec).